팝업 수장고

Pop-up storage

팝업 수장고

2022.7.26.~11.30.
국립현대미술관 청주 미술품수장센터 로비

관장	윤범모
학예연구실장 직무대리	송수정
미술품수장센터운영과장	박미화

기획	김유진
운영	장수경, 최혜지

자료제공	소장품자료관리과
행정지원	미술품수장센터관리팀
고객지원	연상흠, 이소연

그래픽 디자인	페도라프레스
공간 디자인	안윤주
가구 대여	한칸
사진 및 영상	라이브, 우종덕
영상장비	멀티텍

목차

국립현대미술관 청주 미술품수장센터는 개방 수장고와 관련한 프로그램들을 지속적으로 만들며 관람객과 소통해왔습니다. 특히 기관의 운영 목적을 관람객과 공유하고자 개방 수장고 운영에 많은 노력을 기울여 왔습니다. 개방 수장고는 미술관 내의 가장 보수적이었던 공간을 대중에게 공개하며, 실제 작품이 어떻게 보관되는지 직접 볼 수 있게 한 새로운 시도의 공간입니다.

올해 운영한 〈팝업 수장고〉는 개방 수장고에 대한 관람객 이해를 돕기 위해 조성한 학습, 홍보 공간입니다. 수장고, 개방과 공유, 작품, 사람, 연결이라는 주제를 통해 확장된 미술관 기능과 역할을 보여주며, 다양한 관점에서 미술관을 공유할 수 있는 프로그램을 운영했습니다. '팝업'이라는 단어에서 알 수 있듯이 일시적으로 운영된 이 공간에서 관람객들은 다양한 참여형 프로그램과 세미나를 통해 새로운 차원의 미술관을 만났습니다. 이에 그 결과를 이번 책자를 통해 다시 한번 관람객과 공유하고자 합니다.

최근 전 세계적으로 개방 수장고를 개관하는 사례가 늘고 있습니다. 국내에서도 전국 각지에 개방형 수장고를 건립하려는 움직임들이 꾸준히 이어지고 있습니다. 국립현대미술관은 미술관 최초로 개방형 수장고를 운영한 기관으로써 '개방'과 '공유'에 앞장서고자 합니다. 기존 전시장의 한계를 벗어나 선입관 없이 작품을 감상하며, 미술관의 기억 저장소에서 가려졌던 미술관 운영의 숨은 단면들과 소장품들의 일상을 알아가는 시간이 되기를 바랍니다.

윤범모
국립현대미술관장

〈팝업 수장고〉 사용법

김유진(국립현대미술관 학예연구사)

❶
〈팝업 수장고〉는 개방 수장고에 대해
학습하는 관람객 참여 공간입니다.

❷
수장고, 개방과 공유, 작품, 사람, 연결이라는
다섯 개 주제로 구성되어 있습니다.

❸
순서 혹은 관심 가는 주제에 따라
자유롭게 참여해보세요.

❹
궁금한 점이 있다면 '연결' 코너에
질문을 남겨주세요.

❺
〈팝업 수장고〉에서 개방 수장고를 공유하고
이해하는 시간을 만들어보세요.

❻
〈팝업 수장고〉는
11월 30일까지 운영됩니다.

국립현대미술관 청주 미술품수장센터는 수장형 미술관의 형태로 2018년 12월 27일 개관하였다. 미술관 소장품을 보관하는 비밀스러운 공간인 수장고를 관람객이 직접 들어가볼 수 있도록 공개하여, '개방'과 '소통'을 위한 '열린' 미술관을 지향한다. 국립현대미술관 청주 미술품수장센터의 가장 큰 특징은 개방형 수장고라고 할 수 있다. 개방형 수장고는 크게 개방 수장고와 보이는 수장고로 나누는데, 직접 공간 안에 들어갈 수 있는 곳을 개방 수장고, 유리 너머로 안을 들여다볼 수 있는 곳을 보이는 수장고라고 한다. 총 5개 층에 이르는 미술품수장센터 건물에는 직접 공간에 들어갈 수 있는 개방 수장고가 1층과 3층, 4층에[1] 배치되어 있고, 유리 너머로 관람할 수 있는 보이는 수장고가 1층부터 4층까지 각 층에 배치되어 있다. 또한 개방형 수장고 이외에도 폐쇄형으로 운영하는 수장고까지 총 10개의 수장고가 미술품수장센터 안에 존재한다. 이처럼 타 미술관과 달리 수장고의 비율이 월등히 높고, 관람객에게 개방하여 운영하고 있다는 것이 국립현대미술관 청주 미술품수장센터의 특징이다.

국립현대미술관 청주 미술품수장센터는 개관 이후 개방형 수장고의 여러 가지 형태를 실험적으로 시도하며 관람객에게 다가가고 있다. 특히 1층 개방 수장고에서는 국립현대미술관 조각 소장품을 수장형 전시 형태로 공개하며 개방 수장고를 소개하는 책자를 제작하고 작품 소개 영상을 비롯해 여러 프로그램을 운영해 왔다. 특정한 주제를 바탕으로 의도를 전달하는 일반적인 전시와 달리 개방 수장고는 공간과 소장품을 그 자체로 볼 수 있는 곳이다. 또한 한 작품을 오랫동안 관찰하고 연구할 수 있는 장점이 있는 공간으로, 전시와 달리 적극적인 작품의 해설 없이 관람객이 보고 느끼면서 능동적으로 작품의 정보를 찾아보는 것이 개방 수장고의 특징이다. 하지만 전시와 수장의 개념이 절반씩 섞여 있는 개방 수장고의 특성으로 인해 이미 전시에 익숙한 관람객들은 개방 수장고의 낯선 형태에 어려움을 표하기도 한다.

2022년 7월 26일 1층 개방 수장고 앞 로비 공간에 마련된 〈팝업 수장고〉는 관람객이 직접 개방 수장고에 대해 학습할 수 있도록 조성한 공간이다. 특수한 형태의 수장고에 익숙하지 않은 관람객들을 위해 스스로 개방 수장고를 학습해 볼 수 있도록 〈팝업 수장고〉 공간을 조성하고 다양한 콘텐츠를 비치하여 능동적으로 참여할 수 있도록 했다. 쉽고 편하게 프로그램을 이해할 수 있도록 '수장고, 개방과 공유, 작품, 사람, 연결'이라는 다섯 개 주제어를 선정하였고, 순서에 따라 혹은 관심 가는 주제에 따라 자유롭게 참여해 볼 수 있도록 했다. 또한 〈팝업 수장고〉 결과물로 제작된 이 책자는 프로그램이 종료된 이후에도 개방 수장고를 학습하고 이해할 수 있도록 〈팝업 수장고〉의 내용, 결과를 비롯해 다양한 원고를 수록하여 관람객을 위한 안내 가이드로 기능하도록 했다. 〈팝업 수장고〉는 개방 수장고에 대한 다양한 접근과 이해를 통해 관람객에게 더 적극적으로 다가가기 위한 시도라 할 수 있다.

---

1) 4층에 위치한 특별수장고는 직접 공간 안에 들어갈 수 있는 개방 수장고이지만, 시간과 인원이 제한되어 있는 조건부 개방 형태로 운영된다. 자세한 내용은 이 책자 40~43쪽에 실린 원고를 참고할 수 있다.
이영주, 「특별수장: 연구를 위한 미술품 창고로서의 가능성」 『팝업 수장고』 국립현대미술관, 2022, pp. 40-43.

〈팝업 수장고〉 사용법

수장고

첫 번째 **'수장고'**는 개방 수장고를 이해하기 위해 먼저 수장고가 어떤 공간인지 이해해 볼 수 있도록 구성했다.

개방 수장고는 '개방'과 '수장고'가 합쳐진 단어로, 결국 '수장고'라는 공간을 '개방'했다는 의미이다. 하지만 수장고가 무엇인지, 어떤 역할을 하는지, '수장'의 의미조차 낯설게 느껴지기 때문에 먼저 수장고라는 공간에 대해 이해해야 할 필요가 있다.

수장고의 사전적 정의는 '귀중한 것을 고이 간직하는 창고'이다. 미술관은 작품을 수집하여 보존하고 전시와 교육을 하는 곳으로, 특히 수집된 작품을 보관하는 곳을 수장고(收藏庫)라고 한다. 수장고는 귀중한 것을 보관하는 만큼 단순히 사각형으로 이루어진 공간이 아니다. 작품을 보존하는 데 가장 중요한 항온 항습 시설을 갖춰 온습도를 유지하고 철저한 보안 관리와 해충 침입 방지, 화재 대비를 위한 첨단 설비를 갖춰 운영되는 곳이 수장고이다.

'수장고'에서는 폐쇄형 수장고의 구조 모형을 비치하여 철저하게 통제되고 외부와 차단되어 있는 수장고의 모습을 확인할 수 있도록 했다. 수장고 구조 전문가 인터뷰 영상을 통해 수장고의 문, 벽, 바닥 등 각 부분의 특수성을 이해하고 수장고가 어떤 공간인지 학습해 볼 수 있다. 이외에도 수장고와 작품 보존 관리에 관한 책자를 비치하고, 수장고를 관리하고 작품의 반출입을 담당하는 '레지스트라(Registrar)'라는 직업을 이해할 수 있는 영상을 구성하여 수장고 운영과 관리를 위한 다양한 노력들을 생각해 볼 수 있도록 했다.

개방과 공유

두 번째 **'개방과 공유'**는 수장고와 소장품을 개방하고 공유하는 방식에 대한 의미를 담았다.

동시대 미술관은 단순히 작품을 관람하는 것이 아닌, 경험을 공유하는 확장된 개념의 장소이다. 개방 수장고 또한 철저히 폐쇄적으로 운영되었던 수장고 속에 관람객이 직접 들어가 공간을 체험하고 작품의 수장 상태를 확인할 수 있는 경험의 장소이다. 사회적으로 확대된 개방과 공유의 움직임에 따라 미술관의 가장 폐쇄적 공간인 수장고와 소장품 또한 개방과 공유의 대상이 되었고 국내외 개방 수장고는 지금도 계속 생겨나고 있다.

'개방과 공유'에서는 국내외 개방 수장고가 어떤 곳에서 어떻게 운영되고 있는지 살펴보고 그 역할과 의미에 대해 이해해 볼 수 있도록 했다. 특히 국립현대미술관을 비롯하여 국립민속박물관 파주, 국립공주박물관 충청권역수장고에서 운영하는 개방형 수장고와 네덜란드 보이만스 반 뵈닝겐 미술관의 개방형 수장고 디포(Depot Boijmans van Beuningen)의 모습을 영상으로 만나볼 수 있다.

한편 국립현대미술관의 소장품 정보를 가장 쉽게 취득할 수 있는 방법은 홈페이지 검색을 통해서이다. 이미 홈페이지를 통해 공개되어 있는 소장품 정보와 설명을 직접 검색하며 공개된 정보를 적극 활용하고 소장품을 이해할 수 있도록 검색용 PC를 배치하였다. 간단한 접속만으로 소장품 정보를 취득할 수 있는 방법을 관람객에게 소개함으로써 작품 정보에 능동적으로 접근할 수 있도록 했다. 또한 PC 이외에도 2021년 제작된 개방 수장고 관람객 안내서 『어쩌다 개방 수장고? 그럼에도 조각!』을 통해 조각 소장품에 대한 개별 설명을 찾아볼 수 있도록 했다. 발행된 책을 살펴보며 국립현대미술관 개방 수장고의 형성 과정과 의미를 생각해 볼 수 있다.

개방 수장고를 방문하는 어린이 관람객을 위한 게임 형식의 미디어 관람 가이드 또한 제작하였다. 프로그램 속 캐릭터를 따라가며 퀴즈를 풀고 개방 수장고의 의미를 학습할 수 있는 미디어 가이드는 개방 수장고가 무엇인지 쉽고 재미있게 이해할 수 있도록 하며 개방과 공유의 의미를 다양한 관점과 시각에서 살펴보고자 한 시도라 할 수 있다.

작품

세 번째 **'작품'**에서는 개방 수장고에 수장 전시되어 있는 작품들에 대한 설명 영상과 분석 그래프를 비치하였다.

청주 미술품수장센터 1층 개방 수장고에는 약 800여 점에 이르는 국립현대미술관 조각 소장품 중 선별된 160여 점이 수장 전시되어 있다. 이것은 전체 조각 소장품의 약 20%에 이르는 양이다. 그렇다면 개방 수장고에는 왜 조각 위주의 작품이 배치되어 있는 것일까.

조각의 전통적인 재료로 사용되어 온 돌, 쇠, 나무 등은 회화나 사진 등에 비해 상대적으로 환경 변화에 강하다는 특징을 갖는다. 관람객의 상시적인 출입이 이루어지는 개방 수장고의 특성상 상대적으로 환경 변화에 강한 조각 작품이 배치되어 있는 것이다. **'작품'**에서는 다양한 제작연도, 형태, 재료로 제작된 조각 작품들을 분류하고 분석한 자료들을 통해 개방 수장고 속 소장품을 다양한 각도에서 생각해 볼 수 있도록 했다.

또한 2015년 국립현대미술관 과천에서 개최되었던《무제》전시의 작가 인터뷰 영상을 재구성해 비치하였다.《무제》는 작품 제목 '무제'에 집중해 제목의 의미와 작가의 의도를 살펴 본 전시였다. 당시 전시에 출품되었던 작품들 중 현재 개방 수장고에 수장 전시되어 있는 8점의〈무제〉작품 관련 영상을 선별하여 구성하였다. 작품을 제작한 작가들이 직접 '무제'의 의미를 설명하는 영상은 관람객의 흥미와 작품에 대한 접근을 돕는다.

사람

네 번째 **'사람'**에서는 개방 수장고와 관련한 다양한 분야의 사람들을 영상으로 만나볼 수 있도록 했다.

개방 수장고는 여러 사람들의 협업을 통해 운영된다. 우선 작품을 창작한 작가부터 공간을 기획하는 큐레이터, 작품의 반출입을 관리하는 레지스트라, 작품의 포장과 이동 및 설치를 책임지는 아트 핸들러, 작품의 안전을 책임지고 관람을 돕는 작품 관리요원들이 있다. 또한 미술관의 보이지 않는 곳에서 수장고의 온습도 기능과 시설을 관리하는 사람들, 작품의 상시적인 안전을 위해 클리닝 작업을 하는 사람들이 있다. 이처럼 다양하고 중요한 업무들이 개방 수장고 안에서 보이지 않게 이루어진다. **'사람'**에서는 각 업무 담당자들의 인터뷰 영상을 통해 수장고에서 이루어지는 여러 가지 일들을 학습하고 이해해볼 수 있도록 했다.

또한 미술관에서 제작한 'MMCA 작가와의 대화' 영상 중 개방 수장고에 수장 전시되어 있는 소장품과 관련한 영상을 선별하여 비치하였다. 작품에 대해 작가가 직접 설명하는 영상을 통해 해당 작품에 대한 깊이 있는 설명과 함께 작품을 창작한 작가에 대해 한층 더 이해할 수 있다.

연결

다섯 번째 **'연결'**은 관람객의 의견을 듣고 소통하는 과정을 통해 상호 연결되는 지점을 만들기 위한 공간이다.

국립현대미술관 소장품 중 조각으로 분류되어 등록된 작품은 2022년 6월 기준 총 840점이다. 그중 10점 이상의 작품이 소장된 작가는 12명이다. **'연결'**에서는 12명 작가 중 김종영, 박석원, 박종배, 심문섭, 전뢰진, 존 배, 최만린, 최종태 8명을 선정하여 개방 수장고를 통해 가장 보고 싶은 작품의 작가에게 투표할 수 있는 코너를 마련하였다. 관람객은 각자 투표에 참여하였고, 8명의 작가 중 전뢰진 조각가의 작품에 가장 많은 투표를 했다. 이번 투표 결과는 향후 개방 수장고 개편에 반영되어 전뢰진 작가의 조각 소장품과 자료를 볼 수 있도록 구성할 것이다.

또한 관람객의 생각과 의견을 메모할 수 있는 코너를 조성해 개방 수장고와 관련해 해결되지 않은 질문을 남겨볼 수 있도록 했다. 관람객들은 개방 수장고 작품들에 많은 관심을 보여주었는데, 작품에 대한 질문 상당수는 〈팝업 수장고〉 콘텐츠를 통해 확인 가능한 내용이었다. 이외에도 구입과 기증 등 작품 수집에 관한 질문이 많았다. 미술관은 질문에 답변하고 이러한 과정을 통해 관람객과 소통하고자 남겨진 질문과 그에 대한 답변을 본 책자에 수록하였다.

현재 개방형 수장고는 지속적으로 확장되는 추세다. 이미 개방형 수장고를 운영하는 기관이 여럿 존재하고, 앞으로 운영을 계획하고 있는 기관들도 상당하다. 개방 수장고를 운영하고 있는 기관들이 각자 취득한 정보와 운영 사례를 공유할 수 있는 기회가 필요하다는 판단하에 〈팝업 수장고〉를 통해 개방형 수장고 실무자 네트워크를 마련하고자 했다. 2022년 10월 5일 〈팝업 수장고〉 공간에서 진행된 '개방 수장고를 부탁해-개방 수장고 실무자 버스킹' 프로그램은 개방 수장고 실무자 네트워크 생성 및 활성화를 위해 추진한 '연결' 코너의 프로젝트였다. 국립민속박물관 파주, 국립공주박물관 충청권역수장고, 대전시립미술관 개방 수장고 실무자가 함께 모여 개방 수장고와 관련한 여러 가지 이야기를 나누었고, 개방 수장고의 목적은 결국 관람객을 위한 것이 되어야 한다는 논의가 이루어졌다. 대담 원고는 이 책에 수록하였고, 당시 촬영한 영상은 유튜브를 통해 확인할 수 있다.

이처럼 국립현대미술관은 개방 수장고와 관련한 다양한 시도를 통해 수장고와 소장품을 관람객과 공유하고 있다. 여전히 수장고와 전시 사이에서 혼란을 느끼거나 혹은 좀 더 익숙한 전시에 기준에 두고 개방 수장고를 판단하는 입장들 또한 존재한다. 수장고로서 기능하길 원하는 기관의 입장과 다양한 것을 보고 체험하고 싶어 하는 관람객의 입장 사이에서 균형을 찾는 것이 개방 수장고의 향후 과제일 것이다. 그러나 앞서 언급한 것처럼 개방과 공유의 진정한 의미와 가치를 실현하기 위해서는 관람객이 중심이 되어야 한다는 점은 분명하다.

이 책은 관람객을 위한 개방 수장고 가이드로 활용됨과 동시에 국내 개방 수장고 운영을 준비하고 있는 기관 간 교류를 위한 자료로 활용될 것이다. 앞으로도 국립현대미술관은 개방 수장고와 관련한 다양한 콘텐츠를 기획 운영하며 개방과 공유의 진정한 의미를 실천하고자 한다.

수장고

수장고는 미술관의 소장품을 보관하는 곳이다. 작품을 안전하게 보존하기 위한 온습도 관리뿐 아니라 해충방제, 화재 대비, 보안 관리가 철저히 이루어진다. 개방 수장고를 이해하기 위해 먼저 '수장고'가 어떤 공간인지 학습해본다.

수장고는 미술관의 소장품을 보관하는 곳이다. 작품을 안전하게 보존하기 위한 온습도 관리뿐 아니라 해충방제, 화재 대비, 보안 관리가 철저히 이루어진다. 개방수장고를 이해하기 위해 먼저 '수장고'가 어떤 공간인지 학습해본다.

A storage is where the museum's collections are kept. To safely conserve the artworks, the space is rigorously maintained; not only temperature and humidity are controlled, but also pest control, fire prevention, and security are taken into close account. To understand the Open Storage, let's first learn about the role and the meaning of a 'storage' in a museum.

국립현대미술관 청주 미술품수장센터 제3수장고

팝업
수장고
Pop-up
Storage

작품

People

Artworks

1. 「팝업 수장고」는 개방수장고에 대해 학습하는 관람객 참여 공간입니다.
2. 수장고, 개방과 공개, 작품, 사람, 연결이라는 다섯 개 주제로 구성되어 있습니다.
3. 순서 혹은 관심 가는 주제에 따라 자유롭게 참여해보세요.
4. 궁금한 점이 생긴다면 '연결' 코너에 질문을 남겨주세요.
5. 「팝업 수장고」에서 개방수장고를 공유하고 이해하는 시간을 만들어보세요.
6. 「팝업 수장고」는 11월 30일까지 운영됩니다.

1. Pop-up Storage is a participatory space for visitors to learn about the Open Storage.
2. The space consists of five themes: Storage, Openness and Sharing, Artwork, People, and Connection.
3. Feel free to take part in the given order or according to your prior interest.
4. If you have any questions, leave them in the 'Connection' corner.
5. Take time at the Pop-up Storage to share and understand the Open Storage.
6. Pop-up Storage will run until November 30.

수장고

수장고는 미술관의 소장품을 보관하는 곳이다. 작품을 안전하게
보존하기 위한 온습도 관리뿐 아니라 해충방제, 화재 대비, 보안 관리가
철저히 이루어진다. 개방수장고를 이해하기 위해 먼저 '수장고'가 어떤
공간인지 학습해본다.

A storage is where the museum's collections are kept.
To safely conserve the artworks, the space is rigorou
maintained; not only temperature and humidity are
controlled, but also pest control, fire prevention, a
security are taken into close account. To understa
the Open Storage, let's first learn about the role a
meaning of a 'storage' in a museum.

Storage

수장고 구조 전문가 인터뷰

Q. 먼저 본인 소개와 하고 있는 일을 소개해 주세요.

저는 약 이십 년간 박물관, 미술관 등의 수장고를 설계하고 시공하는 역할을 담당해왔고, 현재까지 수장고 설계 및 시공 관련 회사를 운영하고 있는 기업의 대표입니다.

Q. 수장고의 기능과 역할은 무엇인가요?

수장고의 가장 큰 기능은 미술관의 작품들을 보관하는 창고의 역할이라고 보시면 될 것 같습니다. 가장 중요한 부분은 작품을 안정적으로 오랜 기간 보존할 수 있는 기능을 하는 것이라고 할 수 있습니다.

Q. 수장고의 전체 구조는 어떻게 이루어지나요?

수장고의 전체적인 구조는 출입문부터 바닥, 벽, 천장으로 형성되어 있습니다. 수장고 공간으로 구획된 공간은 일반적으로 보안 구역입니다. 그래서 콘크리트 구조체의 두께도 다른 구조체에 비해 굉장히 두껍고 내부에 들어가는 철근이라든지 그런 부분도 굉장히 두껍게 시공합니다. 재난이나 방범을 위해서 굉장히 안전하고 튼튼한 구조로 설계한다고 보시면 됩니다. 콘크리트 구조의 안쪽에는 수장고를 안전하게 하기 위해 이중 구조로 설계되어 있습니다. 내부에는 온도와 습도, 내부의 유해 물질들이 외부로 방출되고 안쪽으로 들어오지 않도록 차단하는 차단벽을 또 한 번 구성합니다. 콘크리트 구조체로부터 바닥, 벽, 천장이 하나의 입방체, 박스처럼 끼워져 있다고 보시면 됩니다.

일시 : 2022.7.15.(금) 11:00

장소 : 촬영 스튜디오

대상 : 이장묵(싱크피플 대표)

Q. 수장고의 벽은 어떻게 만들어지나요?

일반적으로 콘크리트 구조체에서 일정 간격으로 사람이 들어가서 점검할 수 있는 공간을 띄어서 벽이 형성됩니다. 내부의 공조, 항온·항습을 위한 설비, 시설들이 들어가기 때문에 공간 벽을 띄어두고 콘크리트 구조체와 철골 구조물로 공간을 형성합니다. 안쪽에는 기밀 (氣密)을 형성하기 위해서 불투습 패널이라는 자재가 들어가고 최종적으로 조습 패널이라는 마감재가 설치됩니다. 이렇게 바닥, 벽, 천장의 모든 공간을 동일하게 구성합니다. 단, 조습 패널은 벽과 천장에 한하고 바닥에는 플로어링재를 설치하거나 일반 에폭시 마감을 합니다. 미술품이나 유물들을 내부로 수납할 때 대차와 같은 운반기구들을 사용하게 되는데 이로 인해 바닥이 손상되는 것을 막기 위해 구조적으로 안전한 재질로 설치합니다.

Q. 조습패널은 어떻게 바뀌어왔나요?

조습 패널은 2000년 이전에는 목질계라고 해서 천연목, 오동나무, 삼나무 등을 사용해 왔습니다. 그다음 단계로는 이것을 인공으로 만든 목질계 조습 패널이 사용되어 왔고, 현재는 무기질 패널을 사용하고 있습니다. 천연 원목은 흡·방습이 적은 반면 천연 원목이기에 외관이 굉장히 미려하고 마감재로써 뛰어난 역할을 합니다. 그렇지만 단가 부분에서는 굉장히 비싸고 현재 원목을 구하는 것이 쉽지 않습니다. 그리고 또 소방법 문제로 인해 천연목은 현재 잘 사용하지 않습니다. 인공 조습 패널을 사용해왔던 시기가 있는데 가격 면에서 안정적인 공급이 가능하고 일반 건축자재로도 생산되기 때문에 이것을 미술관의 수장고에 적용해왔습니다. 현재는 아까 말씀드린 것처럼 수장고 내부의 화재 등 위험성으로 목질계는 사용하지 않고 있습니다. 최근에는 화재 시에도 벽에 불이 붙지 않는 재질의 무기질계 조습 패널이 나와 있습니다. 무기질계 조습 패널의 주 재질은 제올라이트, 규산칼슘계와 같은 화산암 계열이 있습니다. 조습 패널은 흔히 내부에 흡·방습을 하기 위해 눈에는 잘 보이지 않는 무수한 기공이 있습니다. 옹스트롬 단위의 기공이 있어서 이러한 기공들이 흡·방습 역할에 많은 도움을 주기 때문에 조습 패널을 사용하고 있습니다. 조습 패널은 산업 규격에 따라서 크기가 일정하게 나누어져 있는데, 틈새를 막고자 흔히 생각하는 몰딩 형태의 띠장이라는 것을 사용합니다. 예전에 흡·방습이 목질계일 때는 표면뿐만 아니라 그 측면에도 일어났기 때문에 띠장을 띄어서 설치 했었는데 최근의 무기질계 조습 패널은 그 표면의 조습만 필요하기 때문에 사이사이 자재의 크기에 따른 몰딩만 설치하고 있습니다.

Q. 수장고의 바닥은 어떻게 만들어지나요?

일단 수장고를 설계할 때 길이 방향으로 플로어링재를 써서 시공을 합니다. 불투습 패널 위에 플로어링재가 사용되는데요. 플로어링재 또한 아무래도 목재이다 보니 흡·방습을 하지만 수축·변형이 일어날 수 있기 때문에 간격을 주어서 시공합니다. 수축·변형이 일어나더라도 마루가 들리고 일어나는 문제가 생기지 않도록 조금씩 띄우는 시공법을 사용하는 것입니다. 체육관의 플로어링과 똑같은 단풍나무나 너도밤나무 재질의 플로어링재를 가장 많이 사용하고 있습니다.

Q. 수장고의 조명, 전기는 어떻게 설치되나요?

수장고 내부에 보관되는 작품 중 특히 회화류나 지류의 경우에는 빛에 의한 손상이 많이 발생합니다. 빛에 의해서 회화류나 지류가 퇴색되지 않도록 퇴색 방지형 필름을 붙이거나 퇴색 방지용 형광등을 사용해왔습니다. 그런데 LED 조명이 퇴색 방지 기능도 겸비하고 있어서 최근에는 LED 조명을 사용하고 있습니다. 대신 수장고 내부는 일반적으로 전시실에서 사용하는 조명보다 굉장히 낮은 조도의 럭스(lux)를 사용해서 150-300lx 이내 기준으로 하고 있습니다.

Q. 수장고의 문은 어떻게 만들어지나요?

수장고 출입문의 가장 큰 특징은 미술품이 들어가거나 큰 물품이 들어가기 때문에 일반 문보다 그 크기가 굉장히 크다는 것입니다. 하역장에서 수장고로 들어오는 모든 동선에 굉장히 큰 크기의 문들이 설치되는데요. 수장고 문은 특히 화재, 도난에 더해 외부에서의 여러 유해 물질들이 내부로 들어오지 않도록 차단하는 역할을 합니다. 먼저 외부에 화재가 났을 때 내부로 화재가 번지지 못하도록 외부는 굉장히 두꺼운 철판으로 시공하고, 그 안의 구조인 철판들 사이에는 내화 콘크리트를 채우게 됩니다. 그리고 그 뒷부분은 수장고 문을 열고 닫는 기구 장치들이 설치됩니다. 수장고 크기에 따라 다르지만 안쪽에 보조문을 설치하는 경우도 있고요. 그리고 예전에는 수장고 내부 소독을 했었는데 소독하기 위한 훈증 해치 등이 설치되는 경우도 있습니다. 그리고 잠금장치가 설치됩니다. 백만 변환 잠금장치가 설치되는데 이는 출입자 통제용으로, 내부로 들어가는 사람들을 통제하기 위함입니다. 열쇠 형태로 설치하고 최근에는 보안장치를 보완하기 위해서 전자적으로 잠금장치를 설치하기도 합니다.

수장고 출입문에는 빗장 장치가 있습니다. 수장고 출입문이 워낙 거대하고 커서 문과 문 사이를 커다란 봉으로 연결해 외부로 열리지 않도록 하는 구조를 가지고 있습니다. 여기에 빗장 징지가 설치되어 있는데, 외부에서 손잡이를 돌려서 빗장 장치를 해제합니다. 그리고 내부에는 혹시 모를 사고로 갇히게 되면 외부로 빠져나올 수 있도록 비상 해정할 수 있는 손잡이를 설치합니다. 또한 외부의 유해 물질들이 내부로 들어가지 않도록 문 측면에는 개스킷을 전부 시공합니다. 그다음 하부에는 연동 개스킷이라고 해서 바닥 하부에서 위로 올라오거나 또는 문 쪽에서 하부로 내려가는 개스킷을 설치합니다. 이러한 부분들이 수장고 문의 특수한 기능이라고 할 수 있습니다.

Q. 수장고는 재난을 어떻게 방지하나요?

화재가 나면 1000℃ 이상으로 온도가 올라가게 됩니다. 그런데 수장고 내부는 항상 온도와 습도를 20℃, 50% 정도로 유지해야 하는데, 외부에 화재가 나면 내부의 온도도 올라가게 됩니다. 이러한 경우 미술품이나 소장품에 굉장히 큰 손상이 일어날 수 있습니다. 그래서 수장고 문은 최소 국내 기준으로 두 시간의 내화 기준을 두고 설치합니다. 문 자체가 기밀(氣密)로 되어 있어서 내부로 물이 들어가거나 화재·화염이 들어가지 않도록 구성되어 있습니다. 그래서 안전하다고 보시면 될 것 같습니다.

Q. 수장고의 가장 중요한 역할과 기능은 무엇이라고 생각하시나요?

수장고는 내부의 미술품이나 소장품을 안전하게 오랜 기간 보존하는 기능을 두루 갖춰야 합니다. 수장고 내부의 협소한 공간을 최대한 활용해서 소장하고 있는 많은 미술품과 유물을 효율적으로 보관해야 한다고 봅니다.

그리고 중요한 것은 수장고 공기의 흐름이라고 할 수 있습니다. 공기는 항상 상부에서 하부로 이동을 하면서 내부의 온도와 습도를 유지하는 역할을 합니다. 그런데 공기 중에 굉장히 많은 유해 물질이 포함되어 있습니다. 수장고 내부는 창문이 없는 무창의 구조로 되어 있는데 공기 중에 화학 물질이 포함되어 있기 때문에 공기가 순환하려면 외부로 공기가 빠져야 하고 외부 공기가 내부로 들어올 때도 필터링을 거쳐서 들어와야 청정한 공기를 유지할 수 있습니다. 그렇기 때문에 공조기, 항온·항습기를 설계할 때 반드시 삼중 필터 정도를 해야 합니다. 이 삼중 필터는 처음에 프리 필터, 중간에 미디엄 필터, 마지막으로 카본 필터 등의 유해 물질을 차단할 수 있는 필터가 설치되어야 합니다.

그리고 공조는 균일한 온·습도 조건을 만족해야 합니다. 어느 한쪽, 집기 중간은 서로 온·습도 균형이 안 맞고 구석진 곳 또한 온·습도 균형이 안 맞을 수 있기 때문에 이런 부분이 균일하게 맞아야 수장고의 역할을 할 수 있습니다. 그래서 균일하게 온·습도 관리가 될 수 있도록 공조 환경을 충분히 고려해서 설계하고 시공해야 합니다.

개방과 공유

개방 수장고는 관람객에게 공간을 직접 경험하도록 개방한 새로운 개념의
수장고이다. 국내외 개방 수장고 사례를 살펴보며 그 역할과 의미에 대해
이해해본다. 또한 미술관 소장품과 자료를 검색하며 정보를 공유하고 작품에 대해
이해해 볼 수 있다.

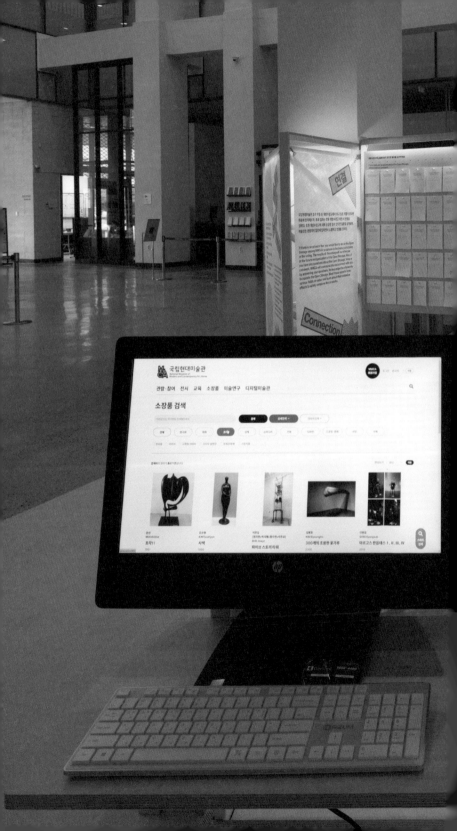

개방과 공유

국립현대미술관 청주 미술품수장센터

국립민속박물관 파주

국립공주박물관 충청권역수장고

보이만스 반 뵈닝겐 미술관 디포, 네덜란드(Depot Boijmans van Beuningen, Netherlands)

개방×공유×활용을 위한 개방형 수장고

김윤정(국립민속박물관 학예연구관)

박물관과 개방형 수장고

오늘날 세계적인 박물관들 가운데는 왕실이나 개인의 소장품에서 출발해 공공에 개방되면서 근대적 박물관으로 자리 잡은 예가 많다. 소장품의 공공화는 박물관의 역사에 있어서는 마치 사회의 민주화만큼이나 중요하다. 우리가 일반적으로 박물관하면 떠올리는 것들, 즉 상설전시나 기획전시 등의 전시나 도록, 보고서 등 인쇄물의 출간은 모두 알고 보면 소장품을 꺼내 보여주거나 출판을 통해 개방해서 그 가치를 공유하고 공공화하는 행위라고 볼 수 있다. 이와 같은 박물관 소장품의 공공화를 보다 적극적으로 실현하고자 하는 것이 바로 개방형 수장고이다. 그래서 혹자는 개방형 수장고를 '박물관의 민주화'로 이야기한다.

20세기 후반 즈음부터 박물관의 사회적 역할에 변화가 있었다. 이전까지 박물관은 역사의 흔적들을 수집하고 보존하는 것을 가장 기본적인 임무로 여겼다. 그런데 20세기 후반부터 수집과 보존의 임무 이상으로 수집된 자료를 인류의 공동의 재산으로 여기고 활용하는 데 힘을 쏟기 시작했다. 그래서 무엇을 수집하고 소장했는가 이상으로 수집품을 누구와 어떻게 나누고 활용하는가에 가치를 두기 시작했다. 이러한 흐름이 진행되는 시기는 마침 20세기 후반 ICT 기술의 발전에 힘입어 전세계적으로 정보 개방의 분위기가 형성되던 때와도 맞았다. 이러한 사회 전반의 흐름에 대한 박물관의 대응으로 나타난 것이 개방형 수장고라고 할 수 있다.

개방형 수장고와 정보의 개방

박물관과 미술관의 수장고는 접근이 제한된 대표적인 곳들이었다. 전시를 위해 꺼내서 진열해 둔 몇몇 전시품을 제외하고는 수장고 안에 어떤 것들이 소장되어 있는지 관람객은 알 수 없었고, 내부 직원들조차 소장품의 규모와 내용을 제대로 알기 어려웠다. 그동안 박물관과 미술관의 수장고는 소장품의 안전한 보관과 보존을 위한 곳으로 여겨서 이중 삼중의 보안 장치로 출입을 제한했고, 업무를 목적으로 두 사람 이상이 한 조가 되어 관리자의 출입 허가를 받은 후에나 출입이 가능한 곳이었다. 이렇다 보니 출입뿐 아니라 정보를 포함한 소장품에 대한 내용들이 제한적으로 알려져 왔다.

20세기 디지털 정보의 발달은 인류 생활 곳곳에 적용되었다. 정보망과 기기의 발달은 정보가 도달하는 범위와 대상을 넓혀 정보의 공유에 획기적인 전환을 가져왔다. 더 많은 사람들이 세계 곳곳에서 일어나는 일과 정보를 공유하게 되었다. 이러한 정보의 개방과 공유의 물결은 사회 전반에 영향을 미쳐 사람들은 제한적이던 정보의 개방을 요구하게 되었다. 박물관과 미술관도 예외는 아니었다. 개방형 수장고는 ICT 기술의 발전에 따른 세계적인 정보의 개방과 공유의 흐름에 대한 박물관 미술관의 대응 방식의 하나이다.

박물관과 미술관의 소장품에 대한 개방은 두 방향에서 진행되었다. 하나는 수장고 자체를 볼 수 있거나 들어갈 수 있게 하는 수장고의 개방이고, 또 다른 하나는 소장품에 대한 정보를 디지털화하여 공개하는 개방이다. 결과적으로 두 방향은 모두 박물관과 미술관에서 어떤 소장품을 얼마나 가지고 있는지, 또 상태는 어떤지 등 전반적으로 소장품의 현황과 상태 등 제한되었던 정보의 개방 요구에 대한 대응이었다고 볼 수 있다.

개방형 수장고와 정보의 소통

개방형 수장고를 접한 사람들은 처음에 다소 당황스럽다. 관람객들은 이곳에서 보관을 위해 놓여있는 상태 그대로의 소장품을 만나게 된다. 개방형 수장고의 내부는 일반적인 박물관 수장고와 같다. 관리를 위한 기본 정보와 분류체계에 따라 영역이 구분되고 유물은 수납장 위에 놓이며, 관리의 편의를 위한 유물 번호표를 표식으로 놓는다. 관리자만이 알 수 있는 숫자들 이외에는 관람자가 알 수 있는 정보가 없다. 대부분의 개방형 수장고는 유리로 된 진열장 형태의 수납장을 사용하기 때문에 내부가 전시환경과 크게 다르지 않다. 대량으로 놓인 소장품의 양과 종류를 눈으로 보는 것 이외에 관람자가 즉각적으로 얻을 수 있는 유물에 대한 정보가 없어 그 불친절함에 당황하게 된다. 이를 보완하고 수장고이면서 동시에 관람 영역인 개방형 수장고의 두 가지 기능을 충족시키기 위해 장소를 적게 차지하면도 대량의 정보를 제공할 수 있는 키오스크를 통한 정보의 제공 방식이 가장 널리 사용되고 있다.

개방형 수장고에서 정보를 개방하는 목적은 궁극적으로 유물을 활용하고 관람자에게 유의미한 자료가 되도록 하는 데 있다. 키오스크를 통해 제공되는 정보는 유물 활용의 기초자료가 되지만 활용 방법에 익숙하지 못한 관람자나 이용자를 위해서는 보다 다양한 정보의 소통 방식이 필요하다. 그 예로 유물을 조형적으로, 또는 의미적으로 해석한 현대 작가의 작품들을 통해 유물을 활용하는 방식을 보여주거나, 유물을 해설하는 프로그램을 통해 보다 상세하고 전문적인 정보를 제공해서 관람자들이 심층 정보를 얻고 이를 활용하도록 하는 방식을 생각해 볼 수 있다. 개방형 수장고 내에서 유물을 보면서 관련 수업을 하는 것도 넓은 의미의 활용법이 될 수 있다. 이외에도 수장고 내 유물을 해설하는 모바일 프로그램을 제공하는 것도 관람자들이 수장고 내 유물에 대한 정보를 얻을 수 있는 손쉬운 소통의 방식이 될 수 있을 것이다.

개방형 수장고와 관람객

큐레이터에 의해 만들어진 전시는 그동안 박물관과 미술관이 소장품을 공공화하는 주된 방식이었다. 큐레이터는 박물관과 미술관에서 관련 유물이나 작품의 역사적 의미를 연구하고 해석하는 전문가들로, 자신들의 지식과 시각으로 소장품을 연구하고 해석하며, 그것을 주제로 엮어 전시했다. 그렇게 만들어진 전시에서 전시품들은 큐레이터에 의해 해석된 시각으로 관람객과 만나게 된다. 대다수의 관람객은 비전문가로서 큐레이터가 제시해 준 시각으로 전시품을 이해하고 받아들이게 되며, 이때 박물관과 관람객의 관계는 다소 일방적이고 수동적일 수밖에 없다.

이처럼 일방적인 관계에 대해 재정립의 필요성이 대두되었다. 이는 큐레이터와 관람객과의 관계뿐 아니라 박물관과 미술관의 소장품과 관람객 사이의 새로운 관계 맺기를 포함한다. 개방형 수장고는 바로 이러한 새로운 관계 맺기가 가능한 곳으로 새로운 형태의 박물관과 미술관이 되거나 또는 기존의 박물관과 미술관에서 관람객과의 일방적인 관계를 재정립하거나 보완해 줄 수 있을 것으로 본다.

개방형 수장고에서 제공되는 유물에 대한 정보는 전시장과는 달리 해석을 거치지 않은 기본적인 내용들이다. 소장품의 명칭, 시대, 재질, 소장위치, 기본적인 용도 등 이를테면 소장품의 메타 데이터에 해당하는 것들이다. 개방형 수장고에서의 정보는 기본적으로 관리를 위해 만들어진 정보를 관람객에게 제공하는 것이다. 따라서 어떤 관점이나 해석이 배제된 기초적인 것들이다. 마치 음식을 만들 때 재료 그 자체라고 보면 된다. 이 재료들로 음식을 만들게 되면 그때부터 만드는 사람의 재료에 대한 해석과 솜씨가 가해져 특성을 가진 음식이 된다. 개방형 수장고에서 제공되는 정보는 음식물을 만들기 위한 재료라고 보면 되고, 음식은 박물관과 미술관의 큐레이터가 만드는 것이 아닌 관람자 자신이 원하는 것을 선택하고 조합하고 탐구하고 해석해서 자신만의 의미로 활용하면 된다. 그래서 개방형 수장고에서 관람객은 구경꾼이 아니라 이용자가 되고 큐레이터가 될 수 있다.

개방형 수장고와 미래 박물관

　　　　　　　　개방형 수장고는 그동안 제한적이고 일방적이었던 박물관과 관람자의 관계를 변화시킬 수 있는 새로운 박물관의 한 형태이다. 이를 위해 소장품과 소장품 정보를 어떻게, 어떤 형태로 개방하고 공유하며 활용할 것인가를 여러 면에서 고민하고 시도해 보는 것이 필요하다. 개방형 수장고는 유용함만큼이나 주의해야 할 점도 많다. 관람자와 온습도 등 변수가 많은 환경에 노출된 유물들은 아무래도 보존에는 취약하다. 박물관의 중심가치가 보존에서 활용으로 넓어졌다고 해도 보존의 가치는 박물관의 근간에 해당되는 것이기 때문에 어떤 상황에서도 우선으로 고려해야 한다. 주어진 여건에서 보존환경을 최대한 확보하면서 관람객과 소통의 방식을 찾는 것은 개방형 수장고의 숙제이다. 물리적 환경에 예민하게 반응하는 물성을 가진 소장품들을 안전하게 개방할 수 있는 방법을 찾고, 박제된 유물에 이야기를 입히며, 평면 정보를 입체적으로 체험하게 하는 방법도 모색해야 한다. 개방형 수장고를 통한 자료개방 기회의 확대는 보다 많은 정보가 다수에게 공유될 수 있는 방법이다. 이를 통해 박물관 소장품들이 역사 속 한 장면에 멈춰있지 않고 지금 그 유물을 보고 있는 관람자에게 의미 있는 자료가 되어 이용된다면 오늘날 살아 있는 가치로서 박물관 소장품의 가치는 더욱 높아지게 될 것이다. 유무형의 자료, 디지털과 아날로그, 온라인과 오프라인이 서로 연결되고 결합되는 미래 박물관을 꿈꾸며 개방형 수장고를 통한 정보의 개방과 공유, 그리고 활용의 경험이 미래의 박물관을 향할 수 있도록 다각도의 실험과 시도가 필요할 것이라 생각한다.

특별수장고: 연구를 위한 미술품 창고로서의 가능성

이영주(국립현대미술관 학예연구사)

1.   2022년 8월 체코 프라하에서 열린 국제뮤지엄협의회(ICOM)에서 개정한 미술관(박물관) 정의는 21세기 미술관의 위상과 사회적 역할에 대해 다시금 숙고하게 한다. 이번에 새롭게 수정한 미술관에 대한 정의는 다음과 같다.

미술관은 유·무형의 유산을 연구, 수집, 보존, 해석 전시하는 비영리 영구 기관으로, 다양성과 지속가능성을 조성하면서 대중에 대한 포용과 접근을 위해 개방한다. 미술관은 다양한 경험을 제공하면서 커뮤니티의 참여와 함께 윤리적이고 전문적으로 운영하며 대중과 소통한다.[1]

이는 미술관이 단순히 전문가의 해석에 의한 일방적인 지식을 전달하는 교육적 기관이 아니라, 보다 다양한 사회 공동체와 협력하는 공동의 사회적 기관임을 강조하는데 방점을 둔 것이다. 동시대 미술관은 예술작품이 불러일으키는 기억과 정서, 담론과 논쟁을 포함하여 관람객과 함께 쌍방향적인 대화와 교류가 이루어지는 '미술관 너머의 미술관(Post-museum)'으로 이미 자리 잡았다. 포스트뮤지엄은 박물관학자인 일리언 후퍼 그린힐(Eilean Hooper-Greenhill)이 주장한 개념에 따르면 21세기 미술관에서는 '사물'보다는 사물과 관계하는 '사람'이 중심이 된다. 이러한 맥락에서 '소장품' 역시 큐레이터가 일방적으로 정의하는 사물이 아니라 우리 사회 구성원들이 함께 공유하는 '공공의 자원'으로서 그 의미가 확장될 수 있다.[2]

        미술관과 소장품을 둘러싼 패러다임의 변화는 1990년대 후반 세계 각국의 미술관에서 도입한 '개방형 수장고(Open storage)'의 탄생과 연결된다. 개방형 수장고는 소장품이 마치 수장고에 있는 것처럼 밀도 있게 모아놓은 수장형 전시 기법이자 수장고 안으로 관람객이 직접 출입할 수 있는 신개념 수장고를 의미한다.[3] 그렇다면 미술관은 왜 수장고를 개방하는 것일까?

        18세기 이후 대중에게 모습을 드러내기 시작한 미술관은 정치적·사회적·문화적 변혁을 겪으며 변화하고 진화했다. 미술관은 기관의 정책을 반영하고 미술사적 가치를 지닌 미술품들을 수장고라는 별도의 공간에 보관한다. 수장고는 오늘날에도 미술관 건축물에서 가장 깊숙한 곳에 자리하고 있으며, 미술관 내에서도 전문가만

---

1) 새로운 뮤지엄 정의는 공모과 협의회의 전문가 의견을 통해 여러 차례 논의되었고, 2022년 새로운 정의가 채택되었다. 뮤지엄 정의에 대한 원문은 ICOM 웹사이트에서 확인할 수 있다.
https://icom.museum/en/resources/standards-guidelines/museum-definition/

2) E. Hooper-Greenhill, *Museum and Interpretation of Visual Culture*, London : Routledge, 2000.

3) Black Graham, "The engaging museum," *The Engaging Museum: Developing Museums for Visitor Involvement*, London : Routledge, 1995, pp. 274-275.

출입할 수 있는 특수한 영역이다. 그런데 소장품은 누군가에 의해 선별되지 않는 이상 수장고 속에 계속 보관된다. 한 해 동안 전시회에 나올 수 있는 소장품의 수는 전체의 10퍼센트 내외에 불과하다. 따라서 개방형 수장고는 소장품에 대한 접근성과 이동성을 강화하기 위한 미술관의 가장 효율적인 소장품 정책이라 할 수 있다.

2. 국립현대미술관 청주관은 2018년 12월 국내 최초 수장형 미술관을 표방하며 개관했다. 청주관이 덕수궁관, 과천관, 서울관과 차별성을 갖는 중요한 지점은 전체 면적의 40퍼센트 이상이 소장품을 관리하고 보존하기 위한 공간으로 설계되었다는 것이다.[4] 청주관의 수장고는 전체 열 개의 수장 공간 중 절반이 '개방형'으로 이루어져 있는데, 이는 기존 수장고가 갖는 폐쇄적 개념을 해체한 것이라 할 수 있다. 청주관 개방형 수장고는 세 가지 유형으로 분리한다. 첫째, 관람객의 출입이 상시 가능한 '개방 수장고' 둘째, 투명한 유리창을 통해 수장고와 작품이 보관되는 상태를 관람할 수 있는 '보이는 수장고' 셋째, 시간 혹은 인원수 제한에 따라 조건부로 관람객의 입장을 허용하는 '특별수장고'다. 수장고 안에 보관된 소장품은 최소한의 정보와 함께 특별한 의도 없이 단순한 분류 체계에 의해 '날것' 그대로의 모습으로 놓여 있다.[5]

청주관 지상 4층에 있는 특별수장고는 말 그대로 '특별함'을 강조한다. 드로잉 소장품 600여 점을 비롯하여 조각품, 공예품 100여 점을 관리하는 이 수장고는 청주관의 다른 개방형 수장고(개방 수장고, 보이는 수장고)와 달리 출입 시간과 인원수를 제한한다.[6] 수장고(收藏庫)는 "가장 귀중한 것을 보관하는 창고"다. 미술관 수장고는 미술관의 가장 중요한 자산인 미술품을 관리하고 보관하는 장소, 즉 미술품의 집과 같다. '집'은 외부로부터 보호받을 수 있는 특별한 장소이니만큼 특별수장고가 관람객에게 조건부 입장을 허용하는 이유이기도 하다.

작품의 관리와 보존이 우선인 특별수장고는 관람객에게 최상의 연구 조건을 제공한다. 수장고 중앙에 있는 열 개의 이동식 함은 중소형의 조각품과 공예품을 보관하며, 명제 대신 각각 관리 번호가 매겨져 있다. 관람객이 이 관리 번호를 수장고 내에 있는 소장품 정보 시스템에 입력하면 각각의 작품이 "언제, 어느 경로를 통해 수집되었고, 어떤 전시에 활용되었는지" 등의 소장품 정보를 알 수 있다. 관람객의 동선을 따라 좌측과 우측에 자리한 다섯 개의 수장실에는 미술관이 소장한 600여 점의 드로잉 소장품 전작(全作)이 주제별 분류에 따라 최소한의 간격을 유지한 채 벽에 걸려 있거나 별도의 수장대 위에 올려져 있다. 특별수장고는 소장품의 상태를 확인하고 작품의 세부 이미지를 보

4) 개방 수장고는 1층과 3층, 보이는 수장고는 1-4층, 특별수장고는 4층에 위치한다. 부문별 보존과학실은 1-4층에 있으며, 관람객이 소장품 보존 처리 과정을 볼 수 있는 보이는 보존과학실은 3층에 있다.
5) 초기에 개방형 수장고를 방문한 대다수 관람객은 최소한의 정보와 함께 유사한 오브제들을 모아 놓는 디스플레이 방식에 단조로움을 느꼈다. 하지만 최근 관람객들은 평소에는 접근할 수 없는 '은밀한 영역'을 경험하는데 큰 매력을 느낀다. 현재 영국의 뮤지엄에서 소장품 센터를 교육적 목적 혹은 이벤트성으로 개방하는 방식이 대표 사례다. Black Graham, 같은 책, p.274.
6) 특별수장고 운영 방침은 다음과 같다. 관람객은 전시마다 10명씩 입장할 수 있으며, 신발을 벗고 수장고용 실내화로 갈아신은 후 관리 요원의 수장고 안내와 유의 사항을 들은 후 자유롭게 관람할 수 있다. 평균 관람 시간은 30-40분 정도가 소요되며, 관람객들은 수장실 내에서 직접 서랍장을 열거나 수장렉을 이동하며 드로잉 작품을 관람할 수 있다.

다 자세히 관찰할 수 있는 연구실로 기능한다. 따라서 특별수장고는 단순한 관람자가 아닌 학습자 혹은 연구자 등 "특별한" 목적을 가진 관람객과의 지적 만남을 기대하고 있다. 이는 전형적인 전시 공간과 수장 공간의 한계를 벗어나 다양함과 특정한 목적이 기반이 된 지적 생산의 장소로서 미술관과 수장고의 역할을 확장시키기 위한 취지가 크다.

특별수장고는 관리자에게도 중요한 지적 생산 공간이다. 미술관에서 수집한 소장품은 정보 검토의 과정을 거칠 기회가 많지 않다. 단순한 오류나 누락된 정보는 물론 매체나 재료의 발전, 미술관 소장품 관리체계의 개정 - 기술지침, 부문 정비 등 - 에 따라 소장품 정보는 지속적으로 변화한다. 하지만 대다수 소장품은 전시, 교육 등과 같은 이벤트가 발생하지 않는 이상 수집 당시의 정보와 함께 과거 속에 그대로 머물게 된다. 우리 모두의 지속적인 노력 없이는 이 소장품들이 어떠한 이력과 역사를 품고 있는지, 어느 전시를 통해 세상과 유의미한 관계를 맺어 왔는지 파악할 기회를 얻지 못할 수도 있다. 소장품 정보를 살피고, 그 이력을 기록하고 조사하는 것, 그리고 정비된 목록을 체계화하는 것은 소장품 관리, 연구를 위한 가장 중요한 기초 과정이다. 특별수장고에서 조사 연구를 통해 완성한 새로운 지식 생산의 보고는 두 권의 목록집 『2019-2020 국립현대미술관 특별수장고 목록집』『2020-2021 국립현대미술관 드로잉 소장품』에서 확인할 수 있다.

3.　　　　　　　개방형 수장고와 전시실은 소장품을 '전시(display)'한다는 점에서 유사점을 갖지만, 그 역할과 목표는 사뭇 다르다. 현장에서 바라본 개방형 수장고의 세부 특징은 다음과 같이 정리할 수 있다. 첫째, 개방형 수장고는 선별된 일부 작품을 디스플레이하는 전시실과는 달리 선별의 과정을 거치기 전 그 자체를 보여준다. 따라서 특별한 의도와 맥락은 존재하지 않는다. 둘째, 전시회의 작품은 주로 작품의 앞면이 중심이 되지만, 수장고 속 작품은 앞과 뒤, 옆, 바닥 등 중심의 폭이 넓다. 작품의 보이지 않는 곳에 기록된 작가의 서명, 제작 시기, 메모 등도 공개하는 것은 미술관이 그동안 어떻게 소장품을 수집하고 관리하는지에 대한 미술관 정책의 투명성을 공유하려는 의도다. 셋째, 관람 동선이나 순서가 정해져 있지 않다. 전시회는 큐레이터가 의도한 방향에 따라 작품이 놓이고, 관람 방식과 순서를 최대한 효율적이고 친절하게 제시한다. 그러나 개방형 수장고는 시작점과 끝점이 존재하지 않는다. 따라서 작품을 선택하고 해석할 수 있는 권한은 큐레이터가 아닌 관람객이라 할 수 있다. 넷째, 큐레이터와 관람객의 관계에도 변화가 발생한다. '지식을 전달하는 자'와 '지식을 전달받는 자'라는 암묵적 관계가 개방형 수장고에서는 '학습과 연구를 돕는 가이드'와 '학습자 혹은 연구자'로 전환된다. 개방형 수장고의 큐레이터는 수장고에서 소장품을 경험하는 새로운 방식을 미래의 연구자가 이해할 수 있도록 연계하는 매개자로서 위치를 조정할 수 있다.

최근 국내 박물관, 미술관은 '열린 수장고', '보이는 수장고' 등 다양한 이름으로 개방형 수장고를 우후죽순 생산하고 있다. 수장고 개방은 단순히 보이지 않았던 물리적 공간과 많은 양의 소장품을 공개한다는 것을 의미하지 않는다. 개방형 수장고의 진정한 의미는 소장품을 새로운 시각에서 관찰하고 해석하고 연구하는 것이다. 즉, 미술관의 소장품 경영 정책과 과제, 소장품의 미래를 대중과 공유할 수 있는 장이다. 그렇기에 지금의 미술관은 '왜 미술관이 이것을 수집하고, 보존하고, 관리하는지, 앞으로 우리가 무엇을 연구하고 보충하고 또 무엇을 향해 나아가야 하는지'에 대한 해답을 구하기 위해 지속적으로 고민해야 할 것이다. 앞서 언급한 미술관 정의에 대한 새로운 개정은 지금 우리 시대의 미술관이 더욱 다양한 연구자, 학습자, 해석자와의 협업을 통해 과거가 아닌 미래를 위한 새 전략을 설계해야 할 시기가 아닌지를 질문하게 한다. 개방형 수장고가 미술관 미래의 핵심으로 남을 것인지 혹은 사라질 것인지는 이러한 노력에 달려 있다.

작품

개방 수장고에는 환경 변화에 비교적 강한 조각 작품이 수장되어 있다. 다양한 현대 조각 작품 사례와 분석 내용을 보며 개방 수장고 조각 작품에 대한 이해도를 높일 수 있다.

3

개방수장고 조각 작품 재료 비율
The Proportion of Materials Used in the Open Storage Sculptures

100
90
80
70
60
50
40
30
20
10
0

금속 / Metal   돌 / Stone   나무 / Wood   개발/복합재료 / Others & Composites

이 그래프는 개방수장고 조각 작품 160점을 기준으로, 작품에 사용된 재료 비율을 분석한 자료이다. 금속을 주재료로 사용한 작품이 절반 이상을 차지하며, 여러 재료의 혼용, 특수한 재료가 사용된 작품도 30여 점에 이른다.

This graph shows the proportion of main materials used in the 160 sculptures of the Open Storage. More than half of the works use metal as the key material, while over 30 artworks use composite materials or special materials.

개방수장고 조각 작품 형상 비율
The Proportion of Figures Types in the Open Storage Sculptures

100
90
80
70
60
50
40
30
20
10
0

인체 / Human Body   동식물 / Animals & Plants   (반)추상 / (Semi) Abstraction

개방수장고에는 형태가 분명한 구상 작품과 무엇이든 연상 가능한 추상 작품들이 함께 배치되어 있다. 이 그래프는 개방수장고 조각 작품 160점들의 형상에 따라 인체, 동식물, (반)추상으로 분류한 자료로, 인체를 표현한 작품이 가장 많은 수를 차지하고 있는 것을 알 수 있다.

In the Open Storage, works with concrete figures are placed together with abstract works that could conjure any imagination. This graph shows the different figure types of the 160 sculptures of the Open Storage, categorized as human bodies, animals and plants, and (semi) abstractions. You can see that the human body figures account for the largest portion.

조각 작품 160점을 기준으로,
금속을 분석한 자료이다. 금속을 주재료로
장을 차지하며, 여러 재료의 혼용,
품도 30여 점에 이른다.

재료 비율
Materials Used in the
 otures

| 돌 | 나무 | 기타/복합재료 |
| Stone | Wood | Others & Composites |

e proportion of main materials
otures of the Open Storage.
works use metal as the key
30 artworks use composite
materials.

개방 수장고 조각 작품 재료 비율

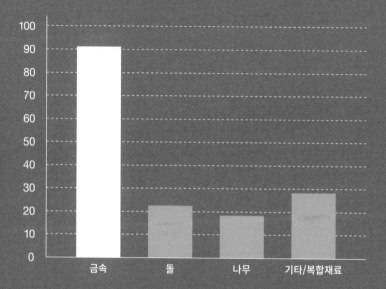

이 그래프는 개방 수장고 조각 작품 160점을 기준으로, 작품에 사용된 재료 비율을 분석한 자료이다. 금속을 주재료로 사용한 작품이 절반 이상을 차지하며, 여러 재료의 혼용, 특수한 재료가 사용된 작품도 30여 점에 이른다.

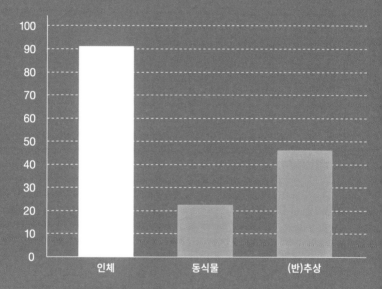

개방 수장고에는 형태가 분명한 구상 작품과 무엇이든 연상 가능한 추상 작품들이 함께 배치되어 있다. 이 그래프는 개방 수장고 조각 작품 160점을 형상에 따라 인체, 동식물, (반)추상으로 분류한 자료로, 인체를 표현한 작품이 가장 많은 수를 차지하고 있는 것을 알 수 있다.

현대미술은 재료와 제작 방법이 발달함에 따라 매우 다양한 양상으로 변모해왔습니다. 장르와 매체의 구분은 점점 모호해지고 작품을 제작하기 위한 재료와 제작 방식 또한 전통적 양식에서 크게 벗어나기 시작했습니다. 특히 조각은 다른 매체에 비해 재료와 제작 방법이 상당히 큰 폭으로 변화해 왔습니다. 새길 조(彫), 깎을 각(刻)이 합쳐진 조각은 전통적으로 깎거나 붙여 형상을 만들어내는 오래된 예술 표현 방식이라고 할 수 있는데요, 과거에는 주로 나무, 돌, 흙과 같은 자연적인 재료로 제작되었던 조각이 산업사회의 부산물인 철, 플라스틱, 일상 오브제 등 매체의 한계를 벗어나 다양한 방식으로 창작되고 있습니다. 용접이라는

기술적 방식이 도입되고 일상생활에서 흔히

사용되는 사물을 사용하거나 혹은 아예

물질이 없는 비조각 작품이 만들어지는 등

재료의 한계가 없어진 동시대 조각은 모든

것이 재료가 될 수 있습니다. 이와 같은

광범위한 조각 재료의 확장과 제작 방법의

다양성은 '조각적'인 것이 무엇인지에 대한

질문으로 이어질 수밖에 없을 것입니다.

그러나 미술에서 낯선 재료들을 작품에

도입하는 것은 한편으로는 미술의 폭을

확장하는 것이기도 합니다.

현재 개방 수장고에 수장전시 되어 있는

조각 작품들 중 몇 가지 사례를 통해

재료와 제작 방법의 다양성에 대해 함께

살펴보도록 하겠습니다.

장 뒤뷔페, 〈집 지키는 개〉
Jean DUBUFFET, Chien de Guet (Guard Dog)

장 뒤뷔페, 〈집 지키는 개 II〉, 1969-1970 ㅣ 에폭시 레진에 폴리우레탄, 페인트, 310×160×110㎝

프랑스 화가이자 조각가로 활동한 장 뒤뷔페(Jean Dubuffet, 1901-1985)의 〈집 지키는 개 II *Guard Dog II*〉라는 작품입니다. 작품 제목과는 달리 개의 형상이 직접적으로 보이지는 않는데요, 어린아이 같은 천진함이 느껴지는 표면의 회화는 복잡하게 엉킨 실타래 혹은 퍼즐 조각 같은 느낌입니다.

이 작품은 에폭시 레진으로 만든 조형물에 페인트로 칠을 하여 완성한 작품입니다. 레진은 좀 더 쉽게 표현하면 플라스틱이라고 할 수 있는데 빨리 굳고 접착력이 강한 성질을 갖고 있으며 보호용 코팅 등에 사용되기도 하는 합성수지입니다. 전통적인 조각 재료와는 달리 에폭시 레진이라는 현대적 재료가 사용되었고, 표면에 페인트를 이용한 그림이 그려져 있어 페인팅 조각이라고 표현하기도 합니다. 20세기 이후 다양한 종류의 페인트가 생산되고 작가들 또한 금속, 목재, 플라스틱 등에 페인트를 사용하기 시작하면서 페인팅 조각이 등장하기 시작했습니다. 화려한 색감과 형태로 작품을 제작하기 쉬워 1960년대부터 많이 사용된 방식이라고 할 수 있습니다. 〈집 지키는 개 II〉는 검은색과 흰색 페인트가 사용되어 색의 대비를 느끼게 하면서 작품에 입체적인 효과를 더하고 있습니다.

우치다 하루유키, 〈3개의 직방체〉, 1992 ㅣ 스테인리스, 마그넷, 180×330×70㎝

우치다 하루유키(UCHIDA Haruyuki, 1952-)의 〈3개의 직방체 *Three Oblong Blocks*〉라는 작품입니다. 직방체는 직사각형의 면으로 이루어진 육면체, 즉 직육면체를 말합니다. 작품은 스테인리스 스틸로 제작된 세 개의 직육면체 덩어리로 이루어져 있는데요, 두 개의 직육면체 위에 가로로 긴 직육면체 덩어리가 올려져 있는 형태입니다. 그런데 작품을 자세히 보면 위에 올려져 있는 직육면체는 모서리가 살짝 걸쳐진 채 마치 한쪽이 공중에 떠 있는 듯한 모습입니다. 무게감이 느껴지는 사각형 덩어리와는 달리 가볍게 떠 있는 형태가 미묘한 균형을 유지하고 있습니다.

이 작품의 원리는 바로 작품에 사용된 자석에 있습니다. 직육면체 안에는 보이지 않게 자석이 설치되어 있습니다. 서로 밀어내는 자석의 성질을 이용하여 작품을 공중에 떠 있는 것처럼 보이게 하는 것입니다. 금속과 자석의 성질을 이해하고 작품에 적용한, 상식을 뛰어넘은 발상이 작품을 흥미롭게 하며 호기심을 느끼게 합니다.

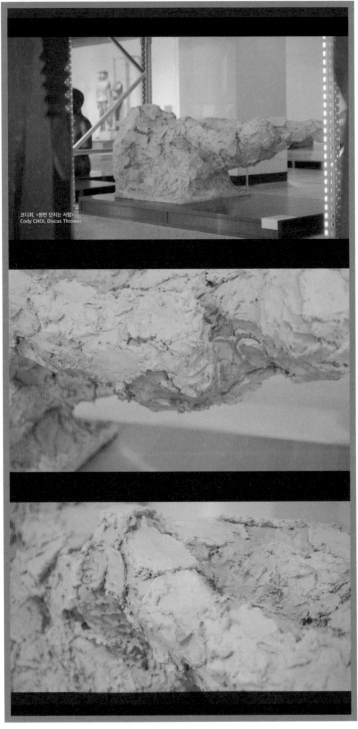

코디 최, 〈원반 던지는 사람〉
Cody CHOI, Discus Thrower

코디 최, 〈원반 던지는 사람〉, 1996 ㅣ 혼합재료, 74×167×100㎝

Pop-up Stor

연한 분홍색으로 칠해진 거친 표면이 인상적인 코디 최(Cody Choi, 1961-)의 〈원반 던지는 사람〉입니다. 마치 분홍색 점토로 만들어진 것처럼 보이지만, 이 작품은 작가가 실생활에서 사용했던 액상 소화제와 휴지로 만들어진 작품입니다. 코디 최 작가는 미국 이민이라는 자신의 이야기를 바탕으로 문화 정체성에 대한 문제를 작품 속에 풀어냅니다. 이민 초창기 음식과 문화에 적응하느라 늘 소화불량에 시달렸던 작가는 가장 저렴한 소화제인 펩토비즈몰을 마셨다고 합니다. 분홍색의 액상 소화제인 펩토비즈몰을 두루마리 휴지에 적신 후 이것을 뭉쳐 조각상으로 만든 것입니다. 작가는 서양미술사에서 많이 언급되는 고대 조각상의 형태를 차용하여 서구 문화에서 느꼈던 문화 정체성이라는 문제를 작품에 표현하고 있습니다.

토니 크랙, 〈분비물〉
Tony CRAGG, Secretions

토니 크랙, 〈분비물〉, 2000 ㅣ 플라스틱, 255×290×220㎝

토니 크랙(Tony Cragg, 1949-)의 〈분비물 *Secretions*〉이라는 작품입니다. 토니 크랙은 주로 일상에서 쉽게 볼 수 있는 재료들을 사용해 작품을 제작해 왔습니다. 〈분비물〉이라는 이 거대한 작품 또한 자세히 들여다보면 놀이 도구의 하나인 주사위로 이루어져 있다는 것을 확인할 수 있습니다. 검정 플라스틱 주사위 수만 개를 붙여 제작한 〈분비물〉은 보는 각도에 따라 작품을 다르게 보이게 함으로써 '조각의 유동성'을 강조하고 있습니다.

토니 크랙은 '신은 주사위 놀이를 하지 않는다'는 아인슈타인의 말에 영감을 받아 이 작품을 제작했다고 합니다. 이 말은 우연 속에도 법칙이 있으며, 원인에 따른 단일하고 확정적인 결과가 있다는 의미로, 작가는 주사위를 굴린 후 나온 우연적인 숫자의 표면을 그대로 붙여 작품을 제작했습니다. 생성, 분열, 확장되는 듯한 작품 〈분비물〉의 형상은 수많은 주사위가 만들어 낸 작품의 면면과 합쳐져 다양한 모습을 발견하게 합니다.

김홍석, 〈별〉, 2005 ㅣ 철, 165×165×165㎝

김홍석(1964-) 작가의 〈별〉이라는 작품입니다. 언뜻 보기에는 대형 압정을 형상화한 듯 보입니다. 하지만 이 작품은 오각형 모양의 평면적인 별의 기호를 입체화한 작품입니다. 작가는 우리가 자주 사용하는 별의 이미지가 실상은 평면적이지 않다는 가정 하에, 상상력을 발휘하여 3차원의 입체적인 별을 제작한 것입니다. 작가는 2차원의 별의 형상을 그린 후 이것을 회전시켜 입체적으로 만들었습니다. 일반적으로 인식하지 못했던 문제들을 드러내고, 사물이 가진 개념에 대한 역발상 혹은 복제, 차용, 재창조 등 무한한 가능성을 가진 대상에 대해 생각해볼 수 있습니다.

최정화, 〈내일의 꽃〉
CHOI Jeonghwa, Flowers of Tomorrow

최정화, 〈내일의 꽃〉, 2015 ㅣ 혼합재료, 가변크기

Pop-up Sto

최정화(1961-) 작가의 〈내일의 꽃〉이라는 작품입니다. 최정화 작가는 플라스틱 바구니, 냄비 같은 주변에서 쉽게 볼 수 있는 사물들을 모아 작품으로 만들어냅니다. 작가의 표현에 의하면 '눈부시게 하찮은 것들'을 통해 일상의 예술을 추구하고자 하는 의도를 반영하고 있는 것입니다.

〈내일의 꽃〉은 형광색과 잿빛 두 개의 상반되는 색상을 가진 인공 화초들로 이루어진 작품입니다. 조화를 만드는 기법을 통해 가짜 화초를 만들고 그 위에 합성수지와 형광 안료를 칠해 만든 작품으로, 자연과 인공 사이의 보이지 않는 경계를 느끼게 합니다. 꽃은 생명이며 살아있다는 증거이지만 작품 속 화초들은 '내일'의 의미에 대해 질문하게 합니다. 익숙한 대상을 다르게 볼 수 있게 함으로써 살아있는 현재에 대해, 일상의 예술에 대해 생각해볼 수 있습니다.

사람

개방 수장고는 다양한 전문가들의 협업으로 운영된다. 여러 분야의 전문가들을 영상으로 만나보며, 작품을 안전하게 관리하기 위한 많은 노력들을 살펴볼 수 있다.

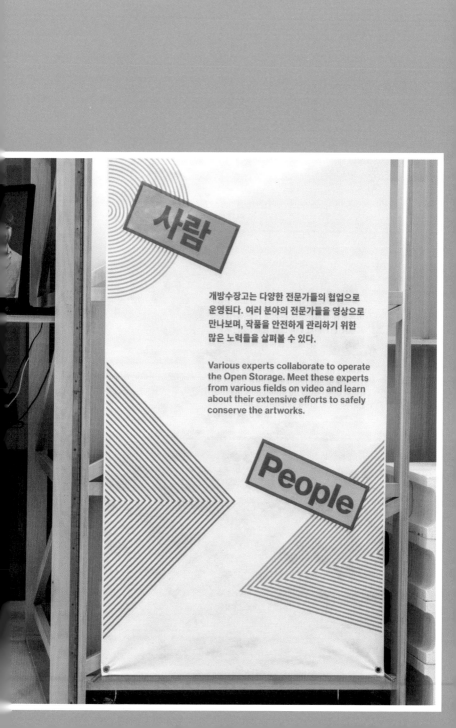

4

사람

개방수장고는 다양한 전문가들의 협업으로
운영된다. 여러 분야의 전문가들을 영상으로
만나보며, 작품을 안전하게 관리하기 위한
많은 노력들을 살펴볼 수 있다.

Various experts collaborate to operate
the Open Storage. Meet these experts
from various fields on video and learn
about their extensive efforts to safely
conserve the artworks.

People

사람

개방수장고는 다양한 전문가들의 협업으로
운영된다. 여러 분야의 전문가들을 영상으로
만나보며, 작품을 안전하게 관리하기 위한
많은 노력들을 살펴볼 수 있다.

Various experts collaborate to operate
the Open Storage. Meet these experts
from various fields on video and learn
about their extensive efforts to safely
conserve the artworks.

People

Q. 먼저 본인 소개 부탁드립니다.

안녕하세요. 조각 작품 보존처리실의 김영목입니다.

Q. 개방 수장고 관련해서 맡고 있는 업무에 대해 말씀해 주세요.

보존팀에서는 주기적으로 개방 수장고 내 작품과 그 주변부에 대해 클리닝을 진행하고 있습니다. 주로 작품들의 표면과 틈 사이에 있는 먼지나 기타 이물질을 제거하는 작업입니다. 이 과정에서 상태 조사도 함께 진행하여 작품의 손상 여부와 열화의 진행 정도 등을 확인하고 있습니다.

Q. 위 질문과 관련하여 해당 업무가 개방 수장고에 미치는 영향, 중요성에 대해서 말씀해 주세요.

일반적인 수장고와 달리 외부에 개방된 형태의 수장고이기 때문에 관람시간 동안 온·습도가 변하거나 외부 물질이 지속해서 유입될 수 있습니다. 이에 따라 주기적인 클리닝과 상태 조사를 진행한다면 겉으로 보이는 손상 여부와 보이지 않는 손상 방향에 대해 예측하고 작품의 보존처리와 함께 예방 보존을 진행할 수 있습니다. 이러한 과정을 통해 작품의 온전한 미관을 관람객분들에게 제공할 수 있습니다.

Q. 개방 수장고 관련 업무를 하면서 보람 있었던 일을 말씀해 주세요.

오래된 작품들 중에서 재질의 일부가 열화되어 바닥으로 구성품이 떨어지거나 플라스틱 작품의 경우 표면이 노랗게 변색되거나 목재 작품의 경우 표면에 부후가 발생한 일이 있었습니다. 이것을 관찰과 함께 즉각적인 응급 보존처리를 진행하고 주변에 있는 유사한 재질과 형태의 작품들에 대해 예방 보존 또한 진행하였습니다. 이처럼 접근이 용이하도록 개방되어 있는 수장고이기 때문에 전시 전에 작품들이 어떠한 형태로 보관되고 어떠한 손상 진행이 보관 중에 일어나는지에 대해서 관찰하고 연구할 수 있었습니다. 관람객분들에게 작품의 온전한 미관을 제공하기 위해 노력하는 저희 보존팀의 입장에서는 민첩한 보존 처리와 함께 예방 보존을 이루어 갈 수 있는 중요한 과정이라고 생각합니다.

사람	이양선
	시설관리 주무관

Q. 먼저 본인 소개 부탁드립니다.

안녕하세요. 미술품수장센터 관리팀에서 시설관리를 담당하고 있는 이양선 주무관입니다.

Q. 개방 수장고 관련해서 맡고 있는 업무에 대해 말씀해 주세요.

개방 수장고는 수장 미술품들의 종류가 상당히 다양한 형태로 진열되어 있습니다. 중요한 것은 개방 수장고에 설치된 조명이나 관람하시는 관람객분들에게서 발생되는 열이 상당히 많다는 것입니다. 그래서 조건에 맞는 온도와 습도를 유지하기 위한 개방 수장고 시설과 장비를 운영하는 것을 주된 업무로 맡고 있습니다.

Q. 위 질문과 관련하여 해당 업무가 개방 수장고에 미치는 영향, 중요성에 대해서 말씀해 주세요.

소장 작품의 성상에 따라서 온·습도 조건이 조금씩 다릅니다. 온·습도를 유지하기 위해서 항온·항습기가 필수적인 요소이므로 집중적으로 운영하고 있습니다. 그런 부분으로 인해 중앙감시실에서 온·습도 조건을 지속적으로 모니터링하고 있고, 또 시설 장비의 점검을 통해서 요건에 맞는 환경을 유지하기 위해 많은 노력을 하고 있습니다. 또한 소방시설에 대한 설비 운영이 중요하게 작용합니다. 위급한 화재 상황 등을 대비해서 경보시설 혹은 감지시설 등의 관리 운영을 통해서 이용하시는 관람객들의 안전을 여러모로 도모하고 있습니다.

Q. 관람객에게 하고 싶은 말씀이 있다면 말씀해 주세요.

관람객분들이 개방 수장고에 들어오시면서 춥다고 많이 느끼실 겁니다. 그래도 소장 미술에 대한 기준을 유지한다는 우선적인 목적이 있기 때문에 굉장히 낮은 22℃ 정도의 온도 조건을 유지하고 있습니다. 다소 춥더라도 그런 부분은 이해해 주시면 감사하겠고요. 화재 등 안전을 위해서는 현재 관람하고 계신 곳의 비상구 위치가 어디인지, 소화 설비는 어떻게 운영되고 있는지 유념하셔서 위급 시에 즉시 대피하실 수 있도록 안전에 유의하시면서 관람에 임해주시면 감사하겠습니다.

Q. 먼저 본인 소개 부탁드립니다.

안녕하세요. 미술품수장센터 관리팀 소속 시설팀에서 근무하고 있는 양은득현입니다.

Q. 개방 수장고 관련해서 맡고 있는 업무에 대해 말씀해 주세요.

개방 수장고 내부에 작품들이 수장되어 있기 때문에 내부의 온도와 습도를 유지하는 장비를 운영하고 있습니다. 24시간 교대로 모니터링하는 업무를 맡고 있습니다. 그 외에도 수장고 안의 전기나 소방 등의 시설물을 유지하는 현장 업무를 하고 있습니다.

Q. 위 질문과 관련하여 해당 업무가 개방 수장고에 미치는 영향, 중요성에 대해서 말씀해 주세요.

다른 수장고도 마찬가지지만 개방 수장고의 경우엔 개방되어 있어 외부의 온도와 습도에 아무래도 영향을 많이 받기 때문에 더 관심을 갖고 있습니다. 또한 관람객분들의 안전이나 작품의 안전을 위해서 24시간 모니터링을 하고 있습니다.

Q. 개방 수장고 관련 업무를 하면서 보람 있었던 일을 말씀해 주세요.

미술관에서 근무한다는 것만으로도 자부심 같은 게 느껴집니다. 관람객들이 관람을 하신 후에 SNS나 블로그 같은 곳에 올리신 후기 같은 걸 보면 '미술관 다녀왔는데 관람하기에 쾌적한 환경이었다' 하실 때, 아무래도 저희 업무와 관련되기 때문에 그런 글들을 볼 때 보람을 느낍니다.

사람	연상흠
	현장운영 매니저

Q. 먼저 본인 소개 부탁드립니다.

안녕하세요. 국립현대미술관 청주 미술품수장센터에서 현장 운영을 총괄하고 있는
연상흠 매니저입니다.

Q. 개방 수장고 관련해서 맡고 있는 업무에 대해 말씀해 주세요.

개방 수장고뿐만 아니라 전체 현장을 총괄하고 있고요. 관람객들이 미술관에 들어오셔서
편안하게 관람하실 수 있도록 전체적으로 안내하고 도와드리는 역할을 총괄하고 있다고
보시면 될 것 같습니다.

**Q. 위 질문과 관련하며 해당 업무가 개방 수장고에 미치는 영향,
중요성에 대해서 말씀해 주세요.**

관람객분들이 미술관에 오시면 관람하는 동선이라든지 또 궁금하신 점들이 여러 가지
있으실 수 있는데요. 그런 것들을 친절하게 안내해 드리고 '현대미술이라는 것들이
상당히 어렵다'라고 느끼시는 분들이 많기 때문에 어떻게 감상하면 좋을지 도움을
드리고 있는 역할도 맡고 있습니다.

**Q. 개방 수장고 관련 업무를 하면서 보람 있었던 일을
말씀해 주세요.**

개방 수장고는 사실상 가장 돋보이는 공간 중 하나이기 때문에 관람객들이 오셨을 때
가장 많이 추천해 드리는 공간이기도 합니다. 관람하고 나오셨을 때 '상당히 새롭다',
'기존의 미술관에서는 보기 힘든 공간이었다'라는 말씀을 많이 하실 때 저도 상당히
보람을 느끼고 즐겁게 생각하고 있습니다.

Q. 관람객에게 하고 싶은 말씀이 있다면 말씀해 주세요.

미술관이라는 것 자체가 생소한 분들이 많습니다. 미술관을 많이 관람해 보지 못한
분들도 계시기 때문에 작품을 많이 만지거나 혹은 함부로 건드려보는 경우들이
있습니다. 그럴 때 속상한 마음이 많이 들기도 하는데 그럴 때 천천히 다가가서 작품은
여러 분들이 관람하시는 것이기 때문에 소중히 다뤄달라는 말씀을 드리고 있고 또
흔쾌히 그런 말씀에 잘 응해주셔서 현재까지 큰 문제 없이 잘 운영하고 있습니다.

Pop-up Sto

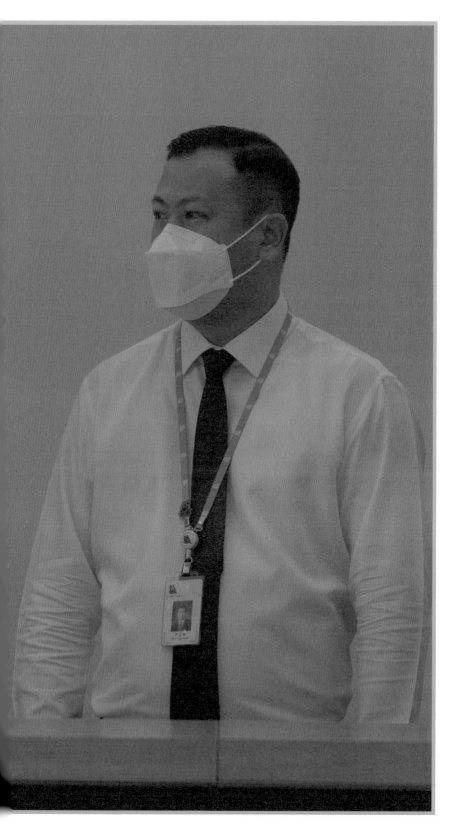

사람	권수민
	고객지원 작품관리

Q. 먼저 본인 소개 부탁드립니다.

국립현대미술관 청주 미술품수장센터 고객지원팀에서 작품관리원으로 근무하고 있는 권수민입니다.

Q. 개방 수장고 관련해서 맡고 있는 업무에 대해 말씀해 주세요.

관람객들에게 작품을 어떻게 감상해야 할지 동선을 안내하고 관람객들의 안전 그리고 작품의 안전을 담당하고 있습니다.

Q. 위 질문과 관련하여 해당 업무가 개방 수장고에 미치는 영향, 중요성에 대해서 말씀해 주세요.

개방 수장고는 전시장과는 다르게 작품이 워낙 많이 들어와 있어서 관람객들에게 그만큼 노출이 많이 되어 있습니다. 모두의 안전이 가장 우선적이기 때문에 작품을 보호하고 또 작품으로부터 관람객을 보호하는 역할을 하고 있습니다.

Q. 개방 수장고 관련 업무를 하면서 보람 있었던 일을 말씀해 주세요.

개방 수장고라는 개념 자체가 관람객들에게 많이 생소한 단어이기도 하고, 전시장에 익숙한 사람들이 대부분이기 때문에 전시와 다른 점을 지적하시며 불편함을 호소합니다. '이 작품을 보고 싶은데 수장대 위에 있어서 볼 수가 없다'라든지 '내가 어디 전시에서 이 작품을 봤었는데 그때와 다르다', '뒷면을 보고 싶고, 옆면을 보고 싶다' 등 여러 가지 의견들이 있습니다. 그러나 그 점에서 수장고이기 때문에 볼 수 있는 장점을 먼저 어필합니다. 이 작품은 전시장에서는 이렇게밖에 볼 수 없는데 여기서는 밑면도 볼 수 있고 윗면도 볼 수 있고 옆면도 볼 수 있습니다. 그리고 가까이서도 볼 수 있습니다. 이런 것들을 말씀드리고 개념을 설명해 드리면 '전시장보다 훨씬 더 좋았다'라는 의견을 많이 얘기해 주셔서 그때 뿌듯함이 있습니다.

Q. 관람객에게 하고 싶은 말씀이 있다면 말씀해 주세요.

미술관에 오시는 것 자체가 미술 작품을 좋아하시기 때문에 관람하러 오신다고 생각합니다. 많이 좋으셔서 많이 만져보고 싶고 더 보고 싶고 가까이 가고 싶은 심정은 저도 이해하지만 만지지는 않으셨으면 좋겠습니다. 만지고 싶으신 마음 저희도 다 이해하지만, 저도 똑같이 참고 있고, 다음 세대도, 그다음 세대도 '이 작품을 꾸준히 볼 수 있었으면' 하는 마음으로 우리 모두 눈으로 잘 보고 잘 지켜주셨으면 좋겠습니다.

Pop-up Sto

Q. 먼저 본인 소개 부탁드립니다.

안녕하세요. 미술품 운송 설치 전문 업체 선진아트 임상현 부장입니다. 반갑습니다.

Q. 개방 수장고 관련해서 맡고 있는 업무에 대해 말씀해 주세요.

개방형 수장고는 수장과 전시가 한 번에 이루어지는 공간으로 수장의 목적인 안전한
작품 보관과 관람객에게 보여드리는 전시의 기능, 두 가지 목적에 맞게 작품을 안전하게
이동 및 설치하는 역할을 합니다. 조금 더 구체적으로 말씀드리면 1층 개방 수장고는
10개의 소장품 분류 중 한 부분인 조각을 소장하고 있는 공간인데 중량물 작품과 대형
작품을 포함하여 예민한 작품이 많습니다. 이에 아트 핸들러들은 기획자의 예쁜 손이
되어 기획 의도와 작품의 특성에 맞게 작품을 놓거나 매다는 등 설치 업무를 담당합니다.

Q. 위 질문과 관련하여 해당 업무가 개방 수장고에 미치는 영향,
중요성에 대해서 말씀해 주세요.

대체불가 유일무이한 것이 작품이기 때문에 잘 보고 관리해서 후손들에게 물려줘야
합니다. 그래서 정말 신중하고 조심스럽게 작품을 다루어야만 합니다. 작품을 다룰 때는
엄청난 체력 소모와 정신적 스트레스가 있지만 막중한 책임 의식 속에 핸들링해야 하기
때문에 영향이 적다고 할 수 없습니다.
조각의 경우 다양한 재질을 갖고 있습니다. 어떤 작품은 잘못 들면 바로 부러지거나
파손이 되기 때문에 반드시 어떤 부분이 강한 부분인지 인지한 후 이동 준비를 해야 하기
때문에 상당한 숙련도나 노하우를 갖고 있어야 합니다. 그리고 작품을 들 때도 흠집이나
긁힘의 문제가 있기 때문에 어떤 장비를 써야 하고 몇 명의 인원이 필요한지도 적당히
고려하여 그에 맞는 이동을 준비하고 맞춰야 합니다.

Q. 개방 수장고 관련 업무를 하면서 보람 있었던 일을
말씀해 주세요.

아트 핸들러 입장에서 말씀드리면 무겁고 큰 작품을 운반했던 것이 기억에 남습니다.
이를테면 이승택 작가의 작품 〈무제〉(1980)가 있는데 높이가 3m 이상 되기 때문에
이동 중에 상당한 고초가 있었습니다. 또한 무거운 것을 옮겼을 때 담당 선생님이나
높으신 분이 오셔서 다시 옮기자고 할 때 조금 힘듭니다.

작품은 수박이 아닌데 자꾸 통통 두들기십니다. 작품에 손을 대지 않으셨으면 하는 작은 바람이 있습니다.

청주 개방 수장고는 수장대가 3단 랙으로 구성되어 있기 때문에 작품을 올리고 내릴 때 상당한 위험도와 조심성이 요구됩니다. 개방 수장고가 전시의 목적을 갖고 있기 때문에 일반 전시와는 크게 다르지 않습니다. 항상 기본적으로 갖고 있는 마음가짐은 안전하게 작품을 설치하는 것이기 때문에 개방 수장고도 일반 전시처럼 안전을 최우선으로 두고 작업을 진행하고 있습니다.

매뉴얼이 없는 설치 작품의 경우에는 이전 사진도 확인하고, 많은 노하우가 기본 바탕이 됩니다. 매뉴얼이 없기 때문에 작품을 현장에서 보고 판단하여 진행해야 하기 때문에 재질에 맞게 나무는 나무를 대어 사용하고, 긁힘이 있다면 이불을 대어 사용합니다. 무게가 감당이 안 될 때는 이동 기중기를 사용한다든지 여러 가지 방법을 고려하여 각 작품 특성에 맞게 이동 설치를 하고 있습니다.

연결

국립현대미술관 조각 작품 중 개방 수장고에서 보고 싶은 작품이 있다면 투표에
참여해 보자. 투표 결과는 향후 개방 수장고 개편 시 반영될 것이다.
또한 개방 수장고에 대해 궁금한 점이 있다면 질문을 남겨보자. 미술관은 관람객의
질문에 답하면서 소통하고 연결될 것이다.

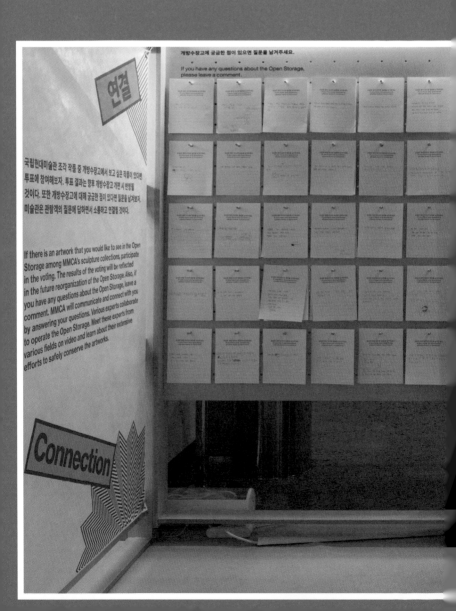

싶은 작품의
요.
you want to see
ge.

If you have
any questions
about the
Open Storage,
please leave
a comment.

개방수장고에서 보고 싶은 작품의
작가에게 투표해주세요.

Vote for the artist you want to see
in the Open Storage.

팝업 수장고

Pop-up Storage

1. 〈팝업 수장고〉는 개방수장고에 대해 학습하는 관람객 참여 공간입니다.

2. 수장고, 개방과 공유, 작품, 사람, 연결이라는 다섯 개 주제로 구성되어 있습니다.

3. 순서 혹은 관심 가는 주제에 따라 자유롭게 참여해보세요.

4. 궁금한 점이 있다면 '연결' 코너에 질문을 남겨주세요.

5. 〈팝업 수장고〉에서 개방수장고를 공유하고 이해하는 시간을 만들어보세요.

6. 〈팝업 수장고〉는 11월 30일까지 운영됩니다.

1. *Pop-up Storage* is a participatory space for visitors to learn about the Open Storage.

2. The space consists of five themes: Storage, Openness and Sharing, Artwork, People, and Connection.

3. Feel free to take part in the given order or according to your prior interest.

4. If you have any questions, leave them in the 'Connection' corner.

5. Take time at the *Pop-up Storage* to share and understand the Open Storage.

6. *Pop-up Storage* will run until November 30.

김종영
〈가족, 작품 65-7〉
1965
대리석
65×33×33㎝

박석원
〈비우〉
1969
알루미늄
120×50×130㎝

박종배
〈고딕체〉
1981
청동
166×51×26㎝

심문섭
〈목신 9137〉
1991
나무
169.5×105×37.5㎝

전뢰진
〈선경가족〉
1983
대리석
66.5×75×48㎝

존 배
〈유령〉
1987
철, 용접
187×50×40×(3)㎝

최만린
〈무제〉
1971
동판, 용접
238.5×91.4×65.3㎝

최종태
〈두 사람〉
1995
청동
113.5×38.5×33㎝

전뢰진의 작품세계 -국립현대미술관 소장품을 중심으로-

박미화(국립현대미술관 미술품수장센터운영과장)

1. 들어가는 말

전뢰진(1929년생)은 김복진(1901-1940), 윤효중(1917-1967) 등 한국 근대 조각의 1세대 다음으로 이어지는 대표적인 조각가이다. 김복진은 소조 작업을, 윤효중은 목조를 주로 하였으나, 전뢰진은 1953년 돌 조각을 시작하여 오늘날까지 변함없이 작업하고 있다. 그는 주로 대리석을 사용하여 인간, 가족, 낙원에서부터 우주에 이르는 소재까지 확장하면서 자신만의 구상조각 세계를 확립해 왔다. 전뢰진이 돌 조각만을 지켜온데는 신라시대와 통일신라시대의 불상 조각에 깊은 감명을 받았기 때문이며 그는 이러한 전통 위에 현대적인 감각을 더하고자 하였다. 석굴암의 숭고미와 조형미는 오늘날에도 절대적 미감으로 우리에게 와닿기에 손색이 없다. 작가는 점토와 석고를 이용한 서구식 조각 기법이 아닌 우리나라 전통 기법을 택하였고, 그 기반 위에 자신의 개성을 추구한 것이다. 어릴 적부터 그림 그리기를 좋아했던 전뢰진은 1949년에 서울대학교 도안과에 입학하였으나, 전쟁 등으로 학업이 중단되었다. 1953년 서울 수복과 더불어 그는 고등학교[1] 은사로부터 조각을 권유받아 홍익대학교 윤효중 선생을 만나면서 조각으로의 길을 걷게 된다. 그는 자신의 돌조각 작품을 브론즈로 에디션 만드는 권유도 마다하고 유일무이한 작업을 고집한다. 또한 대리석을 갈고 연마하는 서구식 기법 또한 거부하고 오직 정과 망치로만 다른 사람의 손을 빌리지 않고 온전히 자신이 마무리하기를 고집한다. 이러한 작업 방식은 전뢰진만이 유일하다 하여도 과언이 아닐 것이다.

본고에서는 국립현대미술관의 전뢰진 소장 작품을 중심으로 작품의 의미와 작품세계의 주요 변화 과정을 살펴보고 향후, 작품 수집을 위한 자료로 활용하고자 한다.

2. 국립현대미술관 소장품 분석

1950년대 우리나라의 미술계는 일제강점기의 조선미술전람회 맥을 잇는 대한민국미술전람회(이하 '국전')를 중심으로 작가의 활동이 이루어졌다. 전뢰진은 조각을 시작한 1953년부터 30여년 국전 존속 기간 동안 한 번도 빠지지 않고 작품을 출품하였다. 국립현대미술관 소장품에는 전뢰진의 1950년대 작품이 총 5점이 소장되어 있다. 〈습작〉(1954), 〈회상〉(1956), 〈두상〉(1957), 〈사색〉(1957), 〈인어〉(1958) 등이다.

---

1) 경기상업고등학교 재학시절에 홍일표(1915-2002) 선생님에게 미술을 배움.

〈습작〉, 1954, 대리석, 65×32×71cm,
국립현대미술관 소장품

마이욜, 〈지중해〉, 1923

〈습작〉은 전뢰진이 조각을 시작한 후, 제3회 국전에 처음으로 출품하여 입선한 작품이다. 초기 인체에 대한 기초적인 탐구과정을 보여주는 이 작품은 관능적이고 풍만한 여체의 느낌을 잘 살리고 있다. 자세는 프랑스 조각가 마이욜(Aristide Maillol, 1861-1944)의 〈지중해〉와 유사함을 알 수 있다. 전뢰진은 한국의 전통적인 석 조각에 기원을 두고 작업을 하였을 뿐만 아니라 마이욜의 동양적인 작품세계를 동경하였다.

2] 〈회상〉, 1956, 대리석, 70×30×25cm, 국립현대미술관 소장품

〈회상〉은 1956년 제5회 국전에 출품하여 입선한 작품이다.[2] 전뢰진의 조각은 대부분은 갈거나 마모하는 방식이 아닌 정과 망치로 표면의 질감을 살리는 수작업으로 이루어진다. 그러나 〈회상〉은 대리석의 표면을 매끈하게 가는 방식을 택하고 있어 초기 재료에 대한 탐구 정신을 보여주는 작품이다. 이 작품은 구본웅의 〈여인〉(1930)을 연상시키기도 한다. 〈습작〉(1954)과 마찬가지로 풍만한 여체의 표현이 매우 우수하며, 운동감까지 표현되어 전뢰진 조각의 발전과정을 보여준다. 이러한 포즈의 여체 표현은 2000년대까지 간간이 보여진다.

〈회상〉, 1956, 대리석, 70×30×25cm,
국립현대미술관 소장품

2)　1955년 제4회 국전에 출품하여 입선한 작품은 〈두상〉으로 국립현대미술관에 소장되어 있지 않다.

전뢰진의 작품세계

〈두상〉은 제6회 국전에서 문교부장관상을 수상한 작품이다. 이후 그는 조각가로 알려지면서 능력과 자질을 인정받기에 이른다. 이 작품은 단발머리 소녀의 모습을 꽤 세밀하게 표현하고 있는데 고개는 약간 기울여 정면성을 피하고 변화를 주고 있고, 눈, 코, 입, 머리의 표현 또한 매우 사실적이다. 얼굴 전체의 비례에서부터 선적인 처리의 단발머리, 쌍꺼풀눈 등 작가의 섬세한 관찰이 잘 드러난 수작이다. 당시 한국의 여자아이들이 주로 하고 있는 단발머리 형태와 '돌'이라는 재료가 주는 마티에르가 서로 잘 어우러져 한국적인 정감을 준다.

이 작품은 1954년에 그의 스승 윤효중의 집 뒤뜰에 뒹구는 대리석으로 제작한 초기의 〈소녀상〉³⁾에서 많은 발전을 보여준다. 초기의 정면성, 거친 마무리 등은 사라지고 갸웃한 고갯짓의 운동성, 두상과 좌대의 분리와 차이 나는 대리석으로 마무리하는 등 높은 완성도를 보여준다.

〈소녀상〉, 1954, 대리석

〈두상〉, 1955, 대리석

〈두상〉, 1957, 대리석, 27×18×19cm, 국립현대미술관 소장품

---

3) 1954년 〈소녀상〉 두상을 처음 제작하여 대한미술협회에 출품하여 입선을 수상하게 되고, 그 후 이승만 대통령이 미국을 방문할 때 아이젠하워 대통령에게 선물로 증정되었다고 한다.

4) 〈사색〉, 1957, 대리석, 51×53×24cm, 국립현대미술관 소장품

국립현대미술관의 소장품 7점 중 5점이 1950년대 작품이다. 그 중 〈인어〉는 한국관광공사로부터 기증받은 작품으로 1960년대 자연적이고 설화적인 요소를 끌어들이는 특성을 미리 읽어볼 수 있는 작품이다. 〈사색〉은 마이욜의 〈지중해〉의 영향을 보여주는 〈습작〉(1954)과 유사한 자세로 앉아 있는 여체를 묘사한 작품이다. 두상에서와 마찬가지로 이 작품 또한 〈습작〉에서 보다 높은 완성도를 보여준다. 여체는 더욱 풍만하면서도 〈습작〉이 서구적인 몸매였다면 〈사색〉은 다소간 동양인의 비례를 보여준다. 국립현대미술관의 소장품에서도 알 수 있듯이 1950년대 전뢰진은 대부분 여체에 대한 표현을 집중하고 있다. 아마도 초기 인체에 대한 탐구와 실험을 병행하여 나타난 결과임을 짐작할 수 있다.

기법적으로 전뢰진은 하나의 작품을 완성하기 위해 수만 번의 망치질로 쪼아서 마티에르를 살린다. 그의 대리석은 익산석, 충주석, 황동석, 외국산으로 각각의 성질에 맞는 표면처리를 하는데 그중 익산석을 가장 즐겨 사용하고 있다.4)

5) 〈선경가족〉, 1983, 대리석, 66.5×75×48cm, 국립현대미술관 소장품

·족〉은 보는 각도에 따라 다른 인물들을 볼수 있으며 마치 입체 풍경화를 보는 듯하다.

전뢰진은 1950년대 여체 혹은 두상에 대한 기초적인 탐험 시기를 지나 1980년대 전뢰진 석 조각의 주제는 설화나 가족애, 모성, 평화 등을 바탕으로 이상향을 구가하는 작품을 다수 제작하였다. 〈선경가족〉(1983)은 이러한 경향의 대표적인 작품으로 소나무 아래 하프 악기를 연주하는 엄마를 세 명의 아이가 평화스럽게 바라보는 장면을 조각한

4) 신일수, 전뢰진의 조형세계에 관한 연구, 2002, 서울시립대학교 대학원 산업미술학과 환경조각 석사논문, p. 37.

작품이다. 마치 자신의 세 아이를 의미하는 듯 다복한 가족의 모습을 표현하고 있다.
작가는 '선경가족' 혹은 '낙원가족'이라는 제목으로 제작한 작품이 여러 점이다. 작가는
대부분의 작품에 서명과 제작연도를 표시하고 있는데 '田'과 연도를 숫자로 새긴다.
이 작품은 여인이 앉은 뒤쪽 면에 '田'과 '1983'을 새겨 놓았다.

그의 석 조각은 풍경적인 장면이 연출된다. 고졸한 표현으로 친근감을 줄 뿐만
아니라 마치 입체 풍경화를 보는 듯한 장면을 연출하여 조각한다. '복수 시각 구조', '풍경적
구조'[5]라고 말할 수 있으며 전후좌우 사방에서 다른 인물을 감상할 수 있도록 제작한다는
점에서 매우 흥미롭다. 이 작품은 국립현대미술관 청주 1층 개방 수장고의 '팝업 수장고'
에서 관람객의 인기투표에서 최고를 차지한 작품이기도 하다.

3. 맺음말

이상으로 국립현대미술관의 소장품 중 전뢰진의 조각 작품 5점을 살펴보았다.
기존의 국립현대미술관의 소장품에는 조각 7점, 드로잉 7점, 그리고 이건희컬렉션에
1970년대 작품이 4점 포함되어 있으나, 추가적인 설명은 전뢰진의 공공조각과 함께 종합
적으로 소개할 기회를 마련할 것이다. 전뢰진은 평생 석 조각 만을 고집하여 끌과 정으로
작업하였고, 주변의 권유에도 불구하고 브론즈 주물조차 시도하지 않았다. 그의 조각은
한 점 한 점 유일하며 복수로서 존재하지 않는다. 그는 작업을 즐겼고, 인생의 철학자로
평화를 추구하며 안빈낙도의 편안함과 안정감을 가진다. 고졸한 그의 작품에서 보여지는
철학은 바로 이 편안함일 것이다.

5) 권선희, 전뢰진 작품세계 연구, 2006, 강원대학교 교육대학원 미술교육전공 석사논문, p. 43.

"개방 수장고를 부탁해"

개방 수장고 실무자 버스킹

일시 : 2022.10.5.(수) 오후 2시

장소 : 국립현대미술관 청주 미술품수장센터 1층 팝업 수장고

참석	
	김주원 (대전시립미술관 학예연구실장)
	황경선 (국립민속박물관 학예연구사)
	황보창서 (국립공주박물관 학예연구사)

진행	
	김유진 (국립현대미술관 학예연구사)

김유진　안녕하세요, 저는 국립현대미술관 학예연구사 김유진이라고 합니다. 국립현대미술관 1층 개방 수장고를 담당하고 있습니다. 지금 이 자리는 개방 수장고가 어떤 곳인지 조금 더 쉽게 이해할 수 있도록 마련한 자리입니다. 국내외 개방 수장고가 굉장히 많이 생기고 있는데요, 이번에는 국내의 네 개 기관에서 개방 수장고를 담당하고 계시는 선생님들을 초청해서 개방 수장고 실제 운영사례를 들어보는 시간을 갖도록 하겠습니다. 먼저 한 분씩 소개해 드리도록 하겠습니다. 먼저 국립민속박물관 파주관 개방형 수장고를 담당하고 계시는 학예연구사 황경선 선생님입니다.

황경선　안녕하세요, 반갑습니다.

김유진　그리고 국립공주박물관에 충청권역수장고가 있는데요. 개방형 수장고를 담당하고 계시는 학예연구사 황보창서 선생님입니다.

황보창서　안녕하세요, 황보창서입니다.

김유진　어제 대전시립미술관에서 개방형 수장고를 오픈했습니다. 바로 다음 날인 오늘 이 자리에 참석해 주셨는데요, 김주원 학예연구실장님입니다.

김주원　처음 뵙겠습니다.

김유진　질문을 몇 가지 드리고 공유하면서 개방 수장고가 도대체 뭔지 조금 더 심층적으로 이해해보도록 하려고 합니다. 먼저 순차적으로 질문을 드리고 선생님들께서 각 기관별 상황에 맞게 답변을 해주시는 형태로 진행하겠습니다. 우선 각자 운영, 관리하고 계시는 개방형 수장고에 대해서 간단하게 소개 부탁드립니다.

황경선　국립민속박물관은 서울에 있고요. 작년 7월 파주에 개방형 수장고라는 이름으로 개관했습니다. 서울에 있는 공간의 경우 약 30년 정도 그 위치에 있으면서 건물도 노후화되고 또 수장 공간이 부족해지는 여러 가지 상황들이 겹치면서 파주에 개방형 수장고라는 이름을 짓고 두 사이트로 지정해서 운영하고 있습니다. 김유진 선생님이 말씀하신 것처럼 국내외 개방형 수장고가 많이 생기고 있고 저희 기관에도 견학을 많이 오고 계시는데요, 국립민속박물관 파주는 개방형 수장고 내에 열린 수장고, 보이는 수장고, 또 비개방 수장고까지 열여섯 개의 수장고를 운영하고 있습니다. 또한 개방형 수장고이기 때문에 열린 문화 공간으로서 기능하기 위해서 전시, 교육의 성격까지도 같이 포함해서 운영되고 있는 기관이라고 보시면 될 것 같습니다.

황보창서　국립공주박물관에서 충청권역수장고를 운영하고 있는 황보창서입니다. 충청권역수장고는 이름에서 막 와닿지 않습니까. 권역별 수장고에 해당 됩니다. 국립박물관에 들어오는 국가귀속문화재를 중심으로 소장하고 있는데, 권역별로 수장고를 분류했고 마지막으로

황보창서

충청권에 충청권역수장고가 건립된 상황입니다. 면적은 약 5,800㎡ 정도 되는데, 규모
상당합니다. 5,800㎡ 하면 규모가 어느 정도 되는지 잘 모르시는데, 어지간한 축구장 하
정도 되는 공간입니다. 열린 수장고, 열린 컬렉션이라고 하는 기치 아래 작년 11월 29일
에 충청권역수장고를 오픈했고, 이제 곧 돌이 됩니다. 가장 큰 특징은 수장고 내부를 들어
다볼 수 있는 브릿지(다리)를 설치해서 많은 유물들을 한눈에 바라볼 수 있게 전시형 격납
공간을 마련했다는 점입니다. 현재도 많은 분들이 관람하고 계시는데 어제까지 관람 인
을 보니 약 63,000여 명이 관람을 하셨습니다. 앞으로도 많이 사랑해 주시면 좋겠습니

김주원

지금 배석해 계시는 두 분은 박물관이고, 국내에서는 국립현대미술관 이외에 현대미술
분야의 미술관에서 개방형 수장고를 아마도 처음으로 열었을 것 같아요. 저는 대전시
미술관 학예실장 김주원이라고 합니다. 대전시립미술관 열린 수장고는 어제 개방을 했
니다. 4년 전 설계를 시작으로 준비 기간을 거쳐 어제 완공이 되어 개관했는데, 사실 박
물관들이 운영하는 개방형 수장고와는 성격이 많이 다른 것 같습니다. 대전광역시의 경
우 시립미술관이 1998년 4월에 문을 열었는데, 20년 넘도록 소장품을 수집해오는 과
정에서 현재 1,360여 점을 수장하고 있습니다. 그런데 700평 정도 되는 미술관 건물에
1,360여 점의 작품을 다 감당할 수가 없었습니다. 그 상황에서 개방형 수장고를 건립하
겠다는 가장 중요한 계기나 결심을 가져왔던 게 있습니다. 어제도 대대적으로 주목을 받
었는데요, 대전시립미술관이 오픈하기 전인 1993년에 백남준 선생이 국제사회로 진
보하는 중요한 발돋움을 하는 전국적인 행사였던 대전 엑스포에 오셔서 작품을 하나
들었어요. 그 작품이 대전시립미술관이 소장하고 있는 〈프랙탈 거북선〉(1993)이라고
는 작품입니다. 마케팅공사라는 곳에서 그 작품을 갖고 있다가 관리가 되지 않아 199
년도에 대전시립미술관이 설립되는 것을 보고 2001년 미술관에 관리전환 했습니다.
그래서 실제적으로 대전시립미술관 개방형 수장고는 〈프랙탈 거북선〉(1993)의 보관
존, 관리 그리고 어떤 방식으로 시민에게 지속적으로 이 예술 작품이 갖고 있는 의미를
전달하고 그 의미를 계속 연구, 조사할 것인지 하는 문제 지점에서 만들어진 것입니다
〈프랙탈 거북선〉(1993)은 이전에는 수장고 안에 있지 않았고 대전시립미술관 로비에
었는데 약 2m 정도 되는 높이를 갖고 있는 엄청난 크기의 작품입니다. 그 작품 자체를
방형 수장고라는 공간 안에서 보존 관리하며 시민에게 늘 보여줄 수 있는 공간으로 만들
위해 1993년도에 제작된 〈프랙탈 거북선〉을 완벽하게 복원한 상황에서 오픈했습니
간단하게 다시 말씀드리면 사실 대전시립미술관은 백남준의 〈프랙탈 거북선〉(1993
보존 관리 그리고 시민에게 개방하기 위한 취지에서 만들어졌습니다.
미술관 지하공간에 구성이 되어 있고 800평 정도 됩니다. 국립민속박물관처럼 개방
수장고 전체가 다 오픈되는 건 아니고요. 비개방 공간이 있고 또 열린 수장고라고 하
이름 아래 개방 공간이 있습니다. 3분의 1 정도를 열린 수장고로 운영하고 있고 3분의
는 작품 수장을 하는 비개방 공간으로 운영합니다. 한 번 와 주세요.

Pop-up Sto

김유진

말씀하신 것처럼 박물관과 미술관은 사실 성격이 조금 다르게 운영되고 있는 것이 사실인데요. 그 문제를 얘기하기 전에 먼저 각 기관의 개방형 수장고 명칭에 대해서 얘기를 해보려고 합니다. 국립현대미술관 청주의 경우 개방형 수장고라는 큰 틀 안에서 개방 수장고, 보이는 수장고 이렇게 두 개로 나누고 있습니다. 개방 수장고는 수장고 안에 직접 관람객들이 들어갈 수 있는 공간이고, 보이는 수장고는 유리 너머로 작품을 관람할 수 있는 공간입니다. 그런데 개방 수장고 외에 열린 수장고라는 명칭도 쓰고 계시는데요, 명칭을 정하게 된 이유 혹은 과정이 있으면 말씀해 주세요.

황경선

그 고민은 굉장히 오래 했습니다. 공간의 구조나 성격에 따라서 그 공간을 어떻게 명명하고 어떤 식으로 운영할 것인가라는 생각들을 많이 했는데요. 개방형 수장고를 유형적으로 보면 밖에서 들여다보거나, 실제 관람객이 들어갈 수 있거나, 들어가서 자유롭게 거닐 수 있거나 정도로 나눌 수 있을 것 같아요. 국립민속박물관 파주의 경우 밖에서 들여다볼 수 있는 형태의 보이는 수장고 세 곳과 실제 관람객이 들어가서 소장품을 가까이에서 볼 수 있는 열린 수장고 일곱 군데로 운영하고 있고 그 밖에 지류나 섬유처럼 아무래도 민감도가 높은 성격의 유물들은 비개방 영역에서 안전하게 관리하고 있는 상황입니다. 3분의 2 정도 개방 하고 있는 것 같아요. 국립현대미술관 청주와의 차이라고 하면 관람객이 들어가서 자유롭게 거닐긴 하지만 작품이 노출되어 있느냐 아니면 유리창 안에 들어 있느냐의 차이가 큰 부분이 박물관과 미술관의 또 다른 성격 차이가 아닐까 생각합니다.

황보창서

국립민속박물관과 저희는 많이 비슷할 것 같아요. 반면에 사실 미술관 쪽하고는 전혀 성격이 다르죠. 충청권역수장고를 이야기하려면 조금 오래전 이야기로 돌아가야 합니다. 충청권역수장고는 특수한 목적을 가지고 건립된 수장고입니다. 국립박물관 내에서 계속해서 증가하고 있는 국가귀속문화재는 문화재조사로 발견 혹은 발굴하게 되는데, 그 발굴된 문화재들 대부분이 국립박물관으로 들어와서 관리되는 상황입니다. 이것을 어떻게 해결할까 하는 데서 권역별 수장고가 시작되었고 그 결과로 건립된 권역별 수장고를 거점으로 주변에 있는 박물관들의 유물들을 보관하고 효율적으로 운영하자는 취지에서 시작되었습니다. 그리고 그렇게 들어오는 많은 유물들을 공개하고 관람객들이 볼 수 있게 하자라고 하는 목적 하나가 덧붙었습니다.

호남권 수장고가 2013년도에 시작됐는데, 안을 들여다볼 수 있게 수장고에 창을 냈어요. 그래서 처음 보도자료를 낼 때 국립박물관 최초의 개방형 수장고라고 냈는데 운영을 하면서 보니까 이것이 개방이라는 말과 맞지 않는다는 생각이 들고 어디가 개방 된거야 생각이 많이 미쳤던 거죠. 2014년도부터 이것은 보이는 수장고다, 비주얼이지 들어갈 수 있거나 사람들에게 정말 오픈되어 있는 상황이 아니기 때문에 '보이는 수장고'로 하자 하고 운영이 진행되는 과정 중에 국립경주박물관에 영남권 수장고가 만들어지게 됩니다. 그런데 영남권에서는 소위 개방형 형태로 하는데 기존의 나주 호남권 수장고가 갖고 있던 문제점들이 좀 있었거든요, 창을 통해서 보니까 안에서 작업하는 공간에도 창이 있고, 동일한 높이에서 일대일로 보게 되니까 밖에 계신 분들과 안에서 작업하시는 분들이

황보창서

뭔가 매치가 안 되어서 느낌이 이상하다는 생각을 했습니다. 그래서 창이라고 하는 것을 자제하고 유리벽을 설치해서 수장고 내부를 볼 수 있게 했습니다. 그리고 박물관의 경우에는 유물들이 상자에 담기는 형태이다 보니까 작업하시는 분들이 왔다 갔다 하는 모습을 볼 수 있게 경주박물관 영남권 수장고가 구성됩니다. 그렇게 해놓고 보니까 또 문제가 생기고, 충청권 수장고는 호남권과 영남권 수장고가 갖고 있는 문제점이나 개선해야 될 점들을 최종적으로 다 해결하고자 노력했고 그 결과물로 나오게 되었습니다. 목적에 맞는 명칭으로 '충청권역수장고'라는 이름을 달고 있고, 기능적으로 그리고 건축적으로는 관람객들이 자유롭게 들어와서 유물들을 보시고 수장 시스템에 대해 이해하실 수 있게 구성해 놓은 상황입니다. 여전히 고민은 계속되고 있습니다.

김주원

보존 관리에 관한 문제를 말씀하시는 거죠.

황보창서

그런 문제도 있고 또 시각적인 것을 강조하면 그 뒤로 밀려나는 것들이 굉장히 많습니다. 공간 활용 같은 것들에 대한 어려움도 있고요. 그러다 보니까 제가 생각할 때는 일방적으로 우리가 보여주고 싶은 것을 보여주는 게 아니라 관람객들이 원하는 것을 한번 찾아보고 원하는 것에 맞게 구성하고 제시해 주는 쪽으로 가는 게 맞지 않겠나 이런 고민들을 하게 되었습니다. 충청권역수장고의 경우 여러 가지 특징들이 많이 있는데, 수장고 내부까지 쑥 들어가서 그곳의 모든 설비들을 다 볼 수 있는 구성으로 되어 있어요. 그런 면에서 관람객들이 보시고 '이 공간이 이런 식으로 운영되는구나' 하면서 한 번 놀라세요. 제가 가끔 충청권역수장고에 오셔서 설명을 요청하시는 분들에게 '저희 수장고는 속 보이는 수장고입니다'라고 소개를 합니다. 다 보여요. 수장고 내부도 보이고 천장 속도 보이고 다 보이는 상황입니다. 우리가 하는 일들을 보여줄 수 있고 관람객들도 그런 것에 반응을 해 놀라워하고 있다는 점에서 현재 충청권역수장고는 보태야 될 게 많긴 하지만 일단은 공적이지 않나 생각하고 있습니다.

김유진

제가 봤을 때 국립공주박물관의 수장고는 정말 다 보여주는 공간이었습니다. 복층 형태로 이루어진 약간 튀어나온 관람 공간들이 있어서 구석구석 잘 볼 수 있게 배치를 해두셨던 것으로 기억하고 있습니다.

황보창서

저희 전임자께서 아주 고생을 하시면서 잘 만들어 놓아서 제가 아주 재미있고 즐겁게 운영하고 있습니다.

황경선

아까도 말씀하셨지만 나주가 처음 시작했고 경주, 그리고 이제 공주까지 이어져서 만들고 계시잖아요. 그런데 점점 더 진화하는 느낌을 많이 받았습니다. 말씀하셨던 것처럼 시작은 조금 부족했을지언정 공주 같은 경우 지금 표현하신 속 보이는 수장고가 정말 찰떡같은 표현이라고 생각되는데 '정말 속속들이 다 보여주고자 작정을 했구나'라는 생각을 했습니다. '왜 이렇게 다들 진화하는 거야, 난 또 어떡하지' '우리는 어떡하지'라는 생각들을

황경선

저는 항상 하는데요. 청주도 그렇고 공주도 그렇고 이제 또 대전시립미술관까지 두루두루 살펴야 될 상황이 된 것 같습니다.

아까 질문하신 것처럼 어쨌든 수장고라는 이름 자체도 굉장히 낯설고 어렵잖아요. 저희도 파주관에 오시면 항상 박물관이라는 기대를 하고 오시는 것 같아요. 공식 명칭이 국립민속박물관 파주, 지역성을 살려서 파주라고 지었는데, 레이블이 있고 패널이 있고 주제화된, 계획된 전시연출을 생각하고 오신 분들이 오셔서 굉장히 빼곡하게 쌓여있는 소장품들을 보시고는 일단 규모나 양을 보고 압도당하시고 '아'하고 뒷걸음질을 치시는데 그 다음이 문제인 거예요. 그 자체를 이해하시고 '수장고라는 게 약간 창고 같은 곳인가 봐' '박물관의 보물 같은 것을 모아났나 봐'라고 아이에게 설명하시면서 자연스럽게 그것을 익혀가시는 분도 계시지만 '그래서 뭐, 나 뭐부터 봐야 돼, 어디부터 가요' '어떻게 해야 돼요'라는 질문을 굉장히 많이 하시는 거예요. 그래서 여전히 우리는 수장고라는 이름, 개방수장고를 계속해서 만들어내고 있지만 관람객들 입장에서는 아직까지 계획된 전시, 주제화된, 특화된 콘텐츠들이 익숙해서 수장고는 아직 많이 낯설구나라는 생각이 들었어요. 그래서 현재 국립민속박물관 본관에서는 주제 중심의 전시를 활발하게 진행하고 있고 파주에서는 조금 다른 역할을 해야 하지 않을까 생각하면서 전체적으로 전시형 수장고라는 주제 하에 소장품들이 각각의 자리를 잡고 있습니다. 세 개의 큰 타워 형태의 수장고 안에 도·토기, 흙 재료의 유물들이 들어있고 또 나무 소반 같은 유물들이 들어있기도 합니다. 그런데 보이는 수장고라고 명명한 곳은 관람객이 들어갈 수가 없고 밖에서 창을 통해 들여다보는 조금 제한된 공간인데 이 공간이 어떤 곳이고 무엇을 보여줄 수 있을지 고민하다가 일 년 만에 또 다른 콘텐츠로 수장고 안에 수장대를 설치했습니다. 아까 상자를 쓴다고 말씀하셨는데 저희도 비슷한 상황입니다. 수장대의 구조나 그 안에 유물들이 어떻게 들어가 있고 보관되고 있는지, 수장고 안의 형태와 그것이 작동하는 모습 그리고 각각의 유물들이 어떤 용도라는 것까지 의미를 담아서 보여주고 있고, 또 어떤 공간은 모든 것을 개방한다고 하니까 실제 일하는 모습까지도 개방을 하는 것이죠. 그래서 유물을 등록하는 공간으로서는 창이 아마 전국에서 제일 클 것 같은데요, 수족관처럼 큰 창이 있고 그 안에서 우리 선생님들이 작업을 하시고 소장품의 등록 과정들을 여실히 보여주는 공간이 마련되어 있습니다. 그런데 이 공간 또한 주말에는 불이 꺼져 있고 비어있는 공간이 되니까 약간 죽어 있는 공간 같다는 생각이 들어서 사람이 없어도 어떤 일을 하는 공간인지 보여주기 위해서 관련된 영상과 디지털 큐레이터를 이용한 디지털 콘텐츠들을 만들어냈어요. 그랬더니 보이는 수장고에서 가졌던 어떤 한계들을 조금은 극복하지 않았나 하는 생각이 들어요. 여전히 나열된 여러 유물들의 정보를 전달하고 있는데 우리가 개방과 공유는 했지만 활용이라는 측면까지 이어지도록 하기 위해서는 끊임없이 노력을 해야 하지 않을까 하는 생각을 하고 있습니다.

황보창서

할 일이 많죠.

김유진 국립현대미술관 청주도 벌써 올해가 4년 차, 내년이 5년 차인데 계속 끊임없이 뭔가를 개방 수장고에서 만들어내고 있거든요. 그런데 여전히 관람객분들이 개방 수장고가 어[떤] 공간인지 작품은 왜 안 바뀌는지 하는 질문들을 하세요. 그래서 문을 열었다고 끝날 게 아니라 계속해서, 지속적으로 이 공간에 대한 설명, 그런 것들을 계속 진행해야 하지 않[나] 하고 그런 면에서 조금 어려움을 느끼는 부분도 있는 것 같습니다. 그래서 같은 고민을 하고 계시는 것이고요.

김주원 국립현대미술관은 4년이 되셨고 대전시립미술관 열린 수장고는 하루 지났는데 사실 국[립]현대미술관이 개방 수장고를 개관하면서 일반 미술대학을 나온 사람이거나 미술에 대한 관심을 갖고 진로를 정하고 싶어 하는 젊은 사람들에게 상당히 중요한 일들과 역할을 하[고] 있다고 생각해요. 우리가 공간을 얘기했잖아요. '앞으로 계속 공간에 대해 고민할 거[라]고 얘기하셨는데 그 공간을 살고 있는 사람들에 관한 문제를 얘기한 것이죠. 사실 미술[관] 하면 현대미술 분야는 큐레이터밖에는 아무도 몰랐는데 미술관의 전시나 작품을 관[리]하는 사람 그리고 미술관 자체를 만드는 사람들이 어떤 일을 하고 있는가. 컨서베이터, 레지스트라 등 여러 분야의 사람들에 관해, 그리고 새로운 직업에 관해 충분히 설명하게 되고 그것에 호기심을 갖고 미술관이라고 하는 곳의 역할에 관해 조금 더 진지하고 보[다] 구체적으로 알게 된 것 같아서 저는 그런 차원에서는 국립현대미술관 개방 수장고의 개[관]이 미술관 분야에서는 상당히 중요한 역할을 했다고 생각합니다. 대전시립미술관 역시[도] 이제 본격적으로 시작하겠지만 그런 차원에서 박수를 쳐드리고 싶다는 생각을 합니다.

황경선 늘 긴장하게 하는 기관이죠. 항상 뭔가 새로운 것을 해야 한다고 하셨는데 말씀처럼 항[상] 새로운 것을 하고 계시는 것 같아요. 저 역시 사람 문제가 제일 중요하다고 생각하는데[요,] 사람에 관한 삶의 유형을 구체적으로 알려주셔서 고마운 것 같아요.

김유진 감사합니다. 일단 개방 수장고라고 해서 개방을 했으니까 개방하고 공유하고 말씀하신 [활]용 문제까지 계속 고민해 가는 단계가 아닐까 생각하고 있습니다.
이제 개방 수장고 안에 있는 콘텐츠에 대해서 얘기를 나눠보도록 하겠습니다. 국립현대[미]술관 청주 개방 수장고의 경우에는 매체별로 작품을 분류하고 있습니다. 그래서 현재 기[둥] 수장고에는 조각 소장품 위주로 보관되어 있고 보이는 수장고(1층)에는 공예 작품이 수[장]되어 있어요. 이런 식으로 분류되어 있는데 그중에서 국립현대미술관 조각 소장품의 일[부]인 약 160점 정도를 개방 수장고에서 공개하고 있습니다. 박물관에서는 주로 도·토기류[를] 말씀하셨는데요, 유물들을 어떻게 공개하는지 과정이 있을 것 같아요. 어떤 유물들을 선[별]해서 어떻게 분류해서 개방 수장고로 보내겠다, 이런 과정이나 절차가 있었을 것 같은데[요.] 대전시립미술관도 마찬가지로 이번에 70여 점 개방하셨는데 어떤 기준으로 선별하셨[는지] 말씀해 주세요.

김주원

대전시립미술관 열린 수장고는 사실 국립현대미술관 정도의 규모가 안 되다 보니까 한 공간 안에 회화, 공예, 조각 모두 다 공개를 하고 있어요. 그리고 회화를 걸 수 있는 랙부터 시작해서 조각의 보관 좌대도 모두 다 노출하고 있습니다. 이번에 70여 점을 공개하기로 결정했던 기준이 되었던 건 아무래도 저희가 갖고 있던 중요한 작업 중심이었던 것 같아요. 1,360여 점 중에 그래도 좋은 작업들 중심으로 선별을 했는데, 다만 여기서 공간의 한계가 있었기 때문에 작업의 사이즈나 규모 역시 적지 않은 영향을 주었습니다. 하이라이트만 다 모아도 그 공간 안에 들어가기에는 역부족이어서 좋은 작업을 일 순위로 하지만 그 외에는 사이즈라든가 부피라든가 이런 부분들을 고려하면서 선별해서 보여드리고자 했습니다. 기간에 따라 지속적으로 작품을 바꿔서 보여드릴 생각이지만 현재는 그렇게 운영하고 있습니다.

황보창서

충청권역수장고에서 보실 수 있는 유물들은 일단 선정 기준이 완형이어야 합니다. 3분의 2 이상 남아 있거나 어느 정도의 형태를 갖추고 있어야 하고, 시간적으로 구성해 놓은 성격에 대표성을 가지고 있어야 할 때 연구실 내에서 '이런 것은 전시형 격납장에 넣었으면 좋겠다' 이야기를 하고 선정하게 됩니다. 기본적으로는 다 선정이 되어 있는 상태고요. 대략 한 3만여 점 정도 나와 있는데 종종 선배님들이 오셔서 "전시하느라 고생했어" 이렇게 말씀하시는데 그때 "저는 격납했습니다" 하고 말씀드립니다. 장의 형태가 마치 전시형이어서 박물관에서 일하시 분들이 보기에도 전시처럼 보인다는 특징이 있는데 일단 공간 자체도 수장고라는 명찰을 달고 있습니다. 옛날 전통적인 방식의 격납이 장 안에다 개개의 유물들을 올려놓는 방식이었잖아요. 그 공간 자체도 그것의 연장이라고 생각을 하고 있습니다. 그래서 만약 상설 전시에 나가는 유물들을 대출하거나 아니면 다른 기관에서 대여 요청을 하면 일반적인 수장고 격납장과 동일하게 적용해서 운영하고 있습니다. 그렇지 않으면 운영에 너무 어려움이 많습니다.

황경선

국립민속박물관 파주도 출발은 수장고인데 전시 형태를 취하고 있는 상황입니다. 열린 수장고 같은 경우는 일곱 군데가 있고 그중 여섯 군데는 로비에 들어서면 바로 보이는 세 개의 커다란 타워 형태의 수장고에 있어요. 그곳에 어떤 유물을 격납하면 좋을지 고민을 깊게 했었는데 사실은 깊게 고민할 이유조차 없지 않았나 싶습니다. 유물은 재질에 따라 환경의 민감도가 다르기 때문에 결국은 그래도 조금 더 잘 견딜 수 있는 재질을 선택할 수밖에 없었지 않나 하는 생각이 들어요. 그래서 주로 도·토기 그리고 돌, 석재 중심의 유물들이 일차적으로 선별되어 여섯 군데 수장고에 들어가는 것으로 결정했습니다. 그리고 민속박물관의 유물들은 생활사 자료다 보니까 재질도 중요하지만 용도 기능이 굉장히 중요합니다. 그래서 각각의 용도가 식생활과 관련이 되었느냐 또 주생활과 관련이 되었느냐 하는 용도 기능에 따라 비슷한 유형끼리 묶어서 격납을 했고, 격납한 형태가 보이기에 좋게 잘 보여야 하니까 아까 처음 말씀하셨던 수장률은 어느 정도 포기하고 단독적으로 잘 보일 수 있는 전시 형태를 취하면서 격납을 하게 되었습니다.

그리고 국립민속박물관 파주는 특별 전시 공간이 없어서 아쉬움이 있는 상황인데, 타워 형태의 여섯 군데 열린 수장고 외에 한 군데의 수장고가 더 열려 있어요. 그곳은 나무 중심의 수장, 격납 재질을 갖고 있는데 금속 재질은 아무래도 조금 민감할 수 있으니 금속 부분들이 최소화된 유물들을 선별했고 소반, 떡살, 반닫이라는 유물을 격납하고 있습니다. 그 공간이 조금 더 전시 형태를 띠고 있는데 계속적인 고민은 항상 그 위치에 유물이 있다 보니까 반복적으로 오시는 관람객들 입장에서는 '뭔가 지난번에 본 것과 같아'라고 생각하실 수가 있어서 올해 수장고 안에서 또 다른 특별전을 해보자 해서 수장고 속 전시를 기획했고 《소소하게 반반하게》라는 이름으로 현대 작가 작품을 콜라보 한 전시를 했습니다. 전통에서 현대까지 이어지는 재해석적인 부분들을 보여주고자 했고 수장고 안의 기존 수장대를 가리고 전시대를 설치해서 공간을 연출하다 보니까 색다른 기회가 됐다 생각이 들었습니다.

김유진

지금 드렸던 질문과 관련해서 지속적으로 수집된 작품들이 개방형 수장고에 반입되는 과정이나 절차가 있으시면 말씀해 주세요. 그리고 미술관과 달리 박물관은 많은 반·출입이 일어날 것 같지는 않아요. 그렇지만 그럼에도 반·출입이 일어났을 때 그 자리를 어떻게 하시는지 궁금합니다. 국립현대미술관 청주의 경우에는 보존 처리나 대여 상황이 발생하면 해당 위치를 비워둔 상태에서 '어느 전시에 나갔습니다', '대여 중입니다' 표시를 해 놓는데, 이렇게 하면 이곳이 수장고라는 느낌이 더 많이 드는 것 같아서 그렇게 처리하고 있거든요.

황경선

비슷한 상황일 것 같아요. 열린 수장고가 전시의 형태를 띠고는 있지만 기본적인 기능은 수장고니까 최근에도 많은 소장품들이 대여를 나갔거든요. 그럼 그 자리는 돌아올 기간, 어느 전시에 어떻게 대여되었다는 것을 명시하고 비워두는 상태이고, 새롭게 수집된 자료가 있을 때는 재질별로 수장고를 운영하기 때문에 그 재질의 적합한 위치를 찾아서 그곳에 다시 격납을 하고 보여주고 있습니다.

황보창서

아까 간단하게 말씀을 드리기는 했는데 국립박물관에 유물이 입수되는 경위는 발굴을 통한 국가귀속문화재들이에요. 일단 발굴조사 기관에서 발굴한 유물들이 주로 국립박물관 쪽으로 들어오게 되고 그것을 인수해서 보관, 관리하게 됩니다. 쉽게 얘기하면 땅속에서 나온 문화재들은 주인이 있는지 없는지 한번 가름하고 나서 국가의 재산이 되는데 결국 보관, 관리하고 활용하는 게 국립박물관이 되는 거죠. 그러다 보니까 매년 들어오는 유물들이 한창 많을 때는 한 개 기관에 약 2만 점 정도, 1년에 2만 점 정도가 들어오고 국립공주박물관 같은 경우에도 올해 약 만 점 이상 입수되었어요. 그래서 만 점 가까이 등록을 하고 있고요. 그런 면에서 권역별 수장고는 굉장히 효율적인 수장고입니다. 아까 제가 어지간한 축구장 면적 하나라고 말씀드렸는데 국립중앙박물관의 수장고 같은 경우는 국제규격 축구장 두 개 정도 됩니다. 그곳에 40만 점이 들어가 있어요. 아주 전통적인 방식의 격납을 하고 있고 또 하나 특징이 완형이 많다는 것이죠. 제대로 된 모양을 갖춘 유물들이 많고 40만 점이 들어가 있는데 충청권역수장고 같은 경우에는 150만 점까지 격납할 수 있는 능력을 가지고 있는 곳이고 현재 15만 점 정도 들어와 있습니다. 수장고 안에 해당되는 유물의 위치가 있는데, 유물들이 일단 들어오면 대부분 안쪽의 수장고 명칭이 붙어 있는 곳에서 동일한 자격과 위치 정보를 주고 대여, 대출과 관련해서 대응하고 있습니다. 그런데 안쪽에 있는 공간만 수장고라고 생각을 하시는데 밖에 전시되어 있는 공간도 똑같이 수장고와 동일한 번호와 위치 정보가 정해져 있어요. 그래서 형태만 전시형 형태이고 크기가 좀 클 뿐이지 전시형 격납장, 전시형 수장고 공간이라고 이해하시면 될 것 같습니다.

김주원

대전시립미술관 열린 수장고는 24시간이 아직 안 지났어요. 누누이 말씀드리지만 국립현대미술관을 상당히 많이 참조하고 있어서 아마 유사하게 갈 것 같습니다. 그동안 작품이 대여가 되었을 때 수장고에 표시를 했는데 지금 개방되고 난 상황에서는 어떻게 할지 아무래도 학습하고 조사해 보고 결정을 해야겠죠.

김유진

국립현대미술관 개방 수장고에는 주로 조각 작품들이 수장되어 있습니다. 작품들이 규모가 크다 보니까 160점 정도 수장되어 있고 그 비율을 국립현대미술관 소장품 비율로 따지면 2% 정도 되는 것으로 계산됩니다. 각 기관에서 공개하고 계시는 소장품이 전체 소장품에 비해서 어느 정도의 비율을 갖고 있는지 혹시 알고 계신가요.

황경선

국립민속박물관의 경우는 전체 소장품이 약 17만 점 정도 되는데 서울관에서 파주로 올 때 약 85% 정도 이전을 했고 15% 정도가 서울에 남아 있습니다. 중소형의 유물들이 파주로 많이 왔고 중대형의 큰 기물들이 서울에 남아 있는 상태예요. 개방형 수장고를 오픈하기 전에는 17만 점 중에 약 2% 남짓의 유물을 노출하고 있었던 것 같아요. 그런데 개방형 수장고를 오픈하면서는 약 3배 정도 혹은 그 이상의 전시율, 활용률을 보이고 있는 상태입니다.

황보창서

국립박물관은 역시 국가귀속문화재, 발굴 매장문화재라고 하는 특색이 있기 때문에 수량은 굉장히 많은데 실질적으로 노출되고 전시에 활용되는 유물들은 약 1%에서 2% 정도 됩니다. 일반적인 국립박물관들, 지역에 있는 소속관까지 포함해서 그 정도 되고요. 반면 충청권역수장고의 경우 약 30만 점 정도 되는 전체 소장품 수량 대비 약 10% 정도, 한 3만 점 정도 노출하고 있습니다. 약간의 비밀은 좀 있습니다. 구슬이 많아요. 그래서 실제 와서 보신 분들이 '가봤는데 저게 어떻게 3만 점이 되지' 그러시는데 실제로 구슬들이 많아서 3만 점이 됩니다.

Pop-up Sto

김유진 사실 미술관은 작품을 보여드린다는 개념이 강한데 박물관, 특히 국립공주박물관 충청권 역수장고의 경우에는 공간을 더 많이 보여주신다는 생각을 했습니다. 수장고 공간 안에 있는 서랍장, 이런 곳에도 유물들이 있으니까 그것까지 개방한다고 포함을 하면 엄청난 숫자가 될 것 같고, 안에 있어서 보이지 않기 때문에 개방하는 것이 아니라고 판단하면 그 숫자가 줄어들 것 같고 그런 상황인 것 같습니다.

황보창서 사실 범위를 어떻게 잡느냐에 따라서 15만 점도 보여드리는 상황이 될 수도 있을 것 같습니다. 상자에 번호 붙어 있는 것까지 포함하면 그럴 수 있는데, 사실 고민이 굉장히 많아요. 가장 큰 고민이 유물을 현재 아주 클래식한 방식의 격납 방식을 채택해서 전시하듯이 보여주고 있잖아요. 그런데 우리나라가 지진에 안전한 곳이 아닙니다. 제가 공주에 내려와 있는 동안 한 8㎞, 16㎞ 정도 떨어져 있는 곳에서 지진이 두 번 일어났어요. 그런데 2.0을 넘어서지 않는 지진은 언론에 나오지 않아요. 단지 날씨알리미에만 뜰 뿐이에요. 그래서 제가 계속 체크하고 있고, 단단히 준비를 했습니다. 내진에서부터 면진, 제진할 것 없이 지진과 관련해서 안전장치는 다 되어 있고 받침에 강화필름부터 시작해서 웨이트 백 등 할 수 있는 조치는 다 해 놨습니다. 유물을 담당하는 사람 입장에서 봤을 땐 불안한 거죠. 그래서 이렇게 그냥 보여주는 게 관람객들이 원하는 것인가. 전시형, 전시형 이야기를 하고 있지만 계속 고민하고 있는 거예요. 전시형이라고 하는 게 맞는지, 수장고 앞에 개방이라고 하는 말이 맞는지, 열린 수장고, 수장고가 열리면 어떻게 되는지 하는 것들을 고민하고 있고, 그래서 오늘 이렇게 같이 이야기하는 것이 굉장히 큰 도움이 될 것 같습니다.

김주원 대전시립미술관은 소장품이 1,360점인데 70점이 나와 있으니까요. 비율로 따지면 5% 정도 나와 있는 것 같습니다.

개방 수장고 실무자 버스킹

김유진

다음으로 드릴 질문은 저희가 계속 얘기하고 있는 전시와 수장고에 대한 것입니다. 국립현대미술관 개방 수장고의 경우에는 수장고와 전시 중간쯤에서 전시 쪽에 약간 더 치중 있어요. 미술관이다 보니 그런 면도 없지 않아 있는 것 같고 민속박물관의 경우는 전시를 많이 시도하고 계셔서 중간쯤에 계신다고 하면 공주박물관은 수장고를 온전히 보여 드린다는 개념에서 수장고 쪽에 더 많이 가까운 것 같아요. 계속 그 얘기를 해 주시기는 했는 요, 혹시 전시와 수장 그 사이에 있는 개방 수장고에 대해서 하실 말씀 있으시면 한 번 다 말씀해 주시면 좋겠습니다.

김주원

미술 분야 쪽의 사람으로서 저는 그 고민이 많은 것 같아요. 특히 어제 오픈하면서 전시 태의 수장, 수장된 전시를 보여주는 공간에 조각, 공예, 회화가 모두 다 들어가 있는데, 히 1944년 독일 태생의 레베카 호른(Rebecca Horn)이라는 국제적인 작가의 작품을 하 갖고 있어요. 그런데 실제적으로 레베카 호른은 기계미술을 하는 작가인데 그 기계를 ? 의 신체의 대리자로 쓰고 있거든요. 기계 신체이기 때문에 움직여야 되는데 오픈할 때 직이지 않고 그냥 뉘어 놓은 상황에 있었어요. 백남준의 작품 중에 〈TV 로봇〉이라고 하 정말 중요한 작품을 저희가 갖고 있는데 그것 역시 브라운관의 전선을 꽂아 놓지 않은 수장고 안에 보관된 상황입니다. 백남준의 작품에서 텔레비전이 꺼져 있는 것은 작품이 니고, 고장난 것일 뿐인데 이것을 이렇게 보여주는 것이 과연 무슨 의미일까 사실 저로 는 큰 딜레마였습니다. 그런 부분에 관해서 어떤 방식으로 어떻게 해결을 해야 할까 실 적으로 어떻게 해야 할지 여러 차원의 다각적인 고민을 해 봐야 할 것 같습니다.

그리고 말씀하신 것처럼 전시와 수장이라는 것은 엄연히 다른데 전시 작품이 나와서 4 일, 60일을 견뎌내다가 수장고 안으로 들어가서는 쉬게 해줘야 하는데 쉼의 공간에서 계속 일을 하게 할 것인가, 일을 하지 않고 누워 있다고 이것은 작품이 아니라고 비판을 게 된다면 이 작품, 이 작가에게 큐레이터 혹은 미술관 사람이 엄청난 폭력을 저지르는 데 이것은 어떻게 해결해야 할까. 이런 고민이 어제 개막을 하면서 아주 심각하고 본 으로 저를 짓누르는 상황이고 지금도 계속되고 있습니다.

황보창서

똑같은 얘기일 것 같은데 일반적으로 공주박물관에 관람을 오시는 분들이 상설 전시 보고 약 30% 정도 되는 분들이 수장고를 둘러보세요. 굉장히 즐겁고 재미있게 수장 둘러보시고 내려오시면서 한마디 하세요. '전시가 왜 이렇게 불친절해?' 이렇게 말씀 가세요. 그러면 저는 뒤에서 바라다보면서 '여기는 수장고인데' 하게 되는 거죠. 그라 까 말씀하신 부분하고 맥이 같아요. 작품이 쉬어야 하고 작동하지 않을 시간이 필요 잖아요. 그런 부분에 대해서 '이곳은 수장고입니다' '이곳에서는 최소한의 정보만 드 수장 공간에 대해서, 수장하는 방법에 대해서, 수장하는 절차에 대해서 쉽게 보실 수 노력하고 있습니다'라고 이야기하지만 관람을 오신 분들의 시선에는 전시로 이해되 더라고요. 고민이 많이 되고, 앞으로도 많이 해야 할 것 같습니다.

김유진

국립현대미술관은 실제로 그 문제에 부딪힌 적이 있어요. 처음에는 수장고라는 개념을 더 강하게 두었고 또 수장고를 공개한다는 개념으로 이 공간을 이해하고 있었기 때문에 설치 미술 작품이지만 전기가 들어오지 않은 상태로 노출되고 있었는데 작가분의 항의가 들어 왔어요. 거기에서 딜레마에 빠진 상황이 있었죠. 저희는 수장고이기 때문에 말씀하신 대로 작품이 쉬어야 하는 공간으로 이해하고 있지만 반대로 작가 입장에서 그리고 관람객 입장 에서는 또 다른 생각을 하실 수가 있겠다는 생각이 들더라고요. 현재는 설치미술은 배제를 한 편인데 이것은 앞으로 추후 해결해 가야 할 문제가 아닐까 생각하고 있습니다. 시간을 두고 운영을 한다든지, 이것도 전시의 개념으로 더 다가가는 것 같지만 일단 문제를 해결 하려면 개방 수장고가 어떤 공간인지에 대해서 많이 이해하는 것이 지금 가장 긴급한 사 안이라고 생각하고 있습니다. 그래서 이런 자리들도 계속 만들어내는 것이 중요하지 않나 생각합니다.

황경선

말씀대로 지금 이렇게 '개방 수장고가 어떤 곳이고 어떤 역할을 하고 있어요' 하고 계속 알 리고 계시잖아요. 국립민속박물관은 사실 조금 여건이 다른 것이 국립공주박물관은 공간 이 같이 붙어 있는 상태에서 전체 상설 전시나 특별전을 관람하고 수장고를 다시 둘러볼 수 있어서 '이곳은 전시 공간, 이곳은 수장고'라고 이해시킬 수 있는 여건이 조금 더 나을 것 같아요. 국립민속박물관 같은 경우는 서울과 파주, 무려 한 50km 정도 거리를 두고 있 는데 서울에서 전시를 보고 수장고를 이어서 보러 오시지는 않잖아요. 그냥 '국립민속박물 관 파주래'하고 왔는데 수장고라는 개념은 모르겠고, 역시나 말씀처럼 '뭐가 이렇게 불친 절해', '설명이 없어'라고 하시는 분들이 가장 많으세요. 정보를 전달할 수 있는 방법을 어디 까지 찾아내야 할지, 전시 공간이 특별히 없는 상황에서 어떻게 또 새로운 콘텐츠를 전달 할 수 있을지 계속 고민스러워요. 사실 그냥 창고적 개념의 수장고라면 너무 좋겠죠. 그렇 지만 역할을 해야 하니까 계속 움직이고 있긴 하지만 말씀하신 대로 유물도 쉴 시간이 필 요해서 서울과는 달리 월요일에는 휴관을 고수하고 있습니다. 수장고로서 이해받고 배려 받을 수 있는 여건들이 확산되려면 계속 알려드리고 '박물관과 다른 수장고예요'라고 계속 외쳐야 하지 않을까하는 생각도 듭니다.

개방 수장고 실무자 버스킹

김주원

그런 차원에서 지금 저희가 큰 오류를 범하고 있는 것이 개방형 수장고라는 팻말을 걸고 있으나 박물관, 미술관의 기본적인 전시를 하는 공간으로서의 형태를 하고 있는 것이 문제인 것 같아요. 오히려 대중들이 궁금한 것, 수장고가 무엇인지 먼저 알아야 이것을 개방한 이유가 중요한데 우선 개방부터 해서 보여주니까 '수장고와 미술관이 무슨 차이야? 수장고와 박물관은 무슨 차이야?' 이런 식의 혼란을 더욱 부추기는 것 같다는 생각이 들거든요. 그래서 차라리 동선부터 다르게 해서 관람객을 유인하는 게 낫지 않을까 하는 생각이 들어요. 들어왔을 때 전시되어 있는 작품들을 먼저 보는 게 아니라 수장고라고 하는 공간에 관한 개념을 어떤 방식으로 설명을 하고 그다음에 전시로 이어지게 가지 않으면 이것은 계속 문제가 될 것 같다는 생각이 듭니다. 대전시립미술관이 그나마 그런 점에서 조금 도움이 되는 것은 지하공간이기 때문이에요. 대전시립미술관이 지상에 있고 지하로 내려가면 열린 수장고가 있기 때문에 같은 딜레마가 있음에도 불구하고 안도의 숨을 내쉴 수 있는 층이 하나 있다고 생각하지만 그런 방법을 조금 생각해 봐야 하겠다는 생각이 들어요. 아까도 관람객이 '수장고가 뭐예요?', '너무 어려워요' 이렇게 물으셨다고 했는데 그것은 당연한 질문인 것 같습니다. 수장고에 대한 설명을 먼저 하고 그다음에 수장고를 개방했을 때는 이렇게 하는 것을 알려드리면 훨씬 좋지 않을까 하는 생각을 많이 하게 됩니다.

김유진

말씀을 듣고 보니까 대전시립미술관의 경우에는 미술관이 있는 상태에서 후속으로 가변 수장고를 만드신 거잖아요. 공간이 분리되어 있다 보니까 훨씬 더 관람객분들이 이해하기 쉽지 않을까라는 생각이 갑자기 드는 것 같습니다.

질문의 연장선상에서 제가 요즘 굉장히 고민을 많이 하고 있는데 박물관이나 미술관에 상설 전시가 있잖아요. 그런데 개방 수장고와 상설 전시는 어떤 차이가 있는지 사실 갈피를 못 잡겠더라고요. 기획 방향에서 차이가 있는 것인지, 그런 고민을 시작한 시점인데 선생님들은 어떻게 생각하시는지 궁금합니다.

황경선

일단 상설 전시도 많은 유물들을 노출하고 있지만 말 그대로 어떤 주제 하에 계획된 전시라는 생각이 들어요. 국립민속박물관 서울관도 1관은 한국인의 일상을 다룬다든지 일생을 다룬다든지 주제화해서 그 주제에 적합한 유물들을 노출하고 있는데 수장고라는 개념은 그것과는 별개로 공간적 개념에서 유물을 보관하는 형태나 공간의 의미, 상황들을 보여주는 데 더 초점이 맞춰져 있지 않나 생각합니다. 정보나 이런 것들도 역시 다 관리자 쪽의 시선에 적합하게 배치되어 있는 것을 확인할 수 있을 것 같고요. 그래서 상설 전시와 수장고는 그런 부분에서 일단 출발점이 조금은 다르지 않은가 하는 생각이 듭니다.

김유진

박물관은 좀 더 분명하게 차이가 있을 수 있겠다는 생각이 드네요.

황보창서

굉장히 어려운 질문이었어요. 개방형 수장고에 있어서 상설 전시와 무엇이 다르냐고 하는 것은 꼭 시험 보는 느낌인데요. 주제가 얼마만큼 디테일하고 연속성이 있느냐 하는 것이 당연히 있을텐데 저희 같은 경우에는 주제가 있어요. 일단은 공간적으로 가지는 특징이 있고, 단일 주제로 '이곳은 수장고입니다'라고 해서 명확하게 구분하려고 시도하고 있는데 이것은 사실 저희들 입장이에요. 관람객들은 그렇게 생각하지 않더라고요. 구분이 안되니까 너무 어려운 거예요. 일일이 따라다니면서 '이곳은 수장고예요' 설명을 드리기도 굉장히 어려운 점이 있어요. 그래서 충청권역수장고에서는 '일만 년의 파노라마'에 있는 토기의 로봇을 도입하기로 했습니다. 국립현대미술관에서도 도슨트 로봇으로 활용하고 있는 QI 로봇을 공간 안에 두고 수장고에 대한 설명과 수장고의 내용을 안내하는 역할을 하게 하려고 합니다. 사람이 일일이 다 대응할 수 없으니까 로봇을 이용해서 볼거리도 제공하고 그 공간에 대한 설명을 추가적으로 할 수 있는 방안이라고 할 수 있을 것 같아요. 12월부터는 아마 제가 아니라 로봇이 안내를 하고 있을 겁니다.

김유진

기대가 되는데요. 제가 꼭 한번 방문하도록 하겠습니다.

김주원

대전시립미술관 열린 수장고는 현재 백화점처럼 갖고 있는 작품을 자랑하듯이 놓은 상황입니다. 말씀하셨듯이 개방 수장고는 공간에 관한 부분이 더 크기 때문에 주제를 가지고 작품을 배치한 것이 아니어서 상설 전시와는 명확하게 다르겠죠. 관람객들도 기대하는 바는 '아 이렇게 보관되는구나'하고 쓱 보고 나가는 정도인 것 같습니다. 앞에서 사진 찍고 SNS에 올리는 것 정도로 생각하시는 것 같고요. 상설 전시에 대한 또는 기획 전시에 대한 기대감 같은 것은 갖고 있지 않은 느낌이었는데, 우선은 고백하건대 대전시립미술관 역시 상설 전시가 없어요. 국내의 국공립 미술관들, 특히 지자체가 운영하는 공립미술관들 중에 상설 전시를 운영하고 있는 미술관은 거의 전무하거든요. 그 상황에서 지금 김유진 학예사가 그 질문을 한 이유가 있다고 저는 생각하는데 상설 전시를 대체할 수 있는 가능성은 충분히 있다고 봅니다. 그런 점에서 지금처럼 우리가 무엇을 갖고 있다는 자랑 정도 또는 디스플레이 정도만이 아니라 좀 더 보완해서 상설 전시 기능도 할 수 있는 공간으로 고민해 봐야겠다는 입장은 갖고 있습니다.

김유진 다음 질문입니다. 저는 개방 수장고에 장점과 단점이 있다고 생각하는데 특히 장점으로는 한 작품을 오랫동안 볼 수 있어서 연구하시는 분들이나 관심 있게 보시는 분들에게는 굉장히 좋은 장점인 것 같습니다. 개방 수장고가 처음에 해외에서 열리게 된 계기 중 하나가 작품의 보관 상태를 눈으로 바로바로 확인할 수 있다는 장점이 있다는 것이었어요. 그런 면에서 작품에 문제가 생겼을 때 육안으로 바로 확인할 수 있다는 운영상의 장점이 있습니다. 그런데 관람객들이 많이 하시는 질문처럼 '수장대 위쪽에 있는 것은 전혀 보이지 않는다', '작품이 바뀌지 않는다'는 점도 있습니다. 사실 국립현대미술관 개방 수장고는 각각의 집이기 때문에 변동 가능성이 크지는 않습니다. 조각 작품들이 다른 곳으로 갈 수 없기 때문에 관람객들이 얘기하는 그런 단점들이 있다고 생각하는데요. 각자 생각하시는 개방 수장고, 개방형 수장고의 장점과 단점에 대해서 말씀해 주시기 바랍니다.

황보창서 개방형 수장고의 장점이라면 개방이라는 단어에서 알 수 있듯이 많은 분들과 공유한다는 점이 굉장히 큰 장점이라고 생각합니다. 수장고 운영을 하다 보면 관람객들이 오셔서 일 보시고 '아, 이런 곳이구나' '이런 유물들이 여기 있구나'라고 하시면서 굉장히 신선하게 느끼세요. 수장고가 이런 곳이고, 조금 더 알고 가시는 기회가 된다는 측면에서는 굉장히 의의가 있습니다. 그런데 '수장고는 이런 곳이다'라고 배워온, 이미 배워서 수장고가 머릿속에 어떤 곳이라고 탁 박혀있는 관리자들 입장에서 보면 여전히 고민거리들이 굉장히 많을 거예요. 우리가 계속해왔던 얘기인데 어디부터 어디까지가 수장이고 어디부터 어디까지가 전시이고 관람객들이 원하는 것은 도대체 무엇이고 우리가 거기에 맞춰 나갈 수 있는가 하는 그런 고민들이 있습니다. 이것이 개방형이다, 보이는 수장고다, 아니면 제가 주로 많이 쓰는 표현이 관람형 수장고라고 하는 조금 더 수요자 입장에서 고민을 해 본 용어인데 그런 개념적인 문제들에 대한 고민들도 너무 많은 거예요. 그래서 개방이라고 하는, 공유한다고 하는 그런 장점은 굉장히 크지만 이것을 관리하고 활용해야 하는 입장에서 본다면 굉장히 무거운 짐을 지고 있는 것이죠. 아까 수장고가 쉬어야 하는 휴식 공간이라고 했잖아요. 그런 공간인데 이것을 연다, 어디까지 열어야 하나 라는 그런 고민들, 장점이 큼에도 불구하고 담당하는 사람 입장에서는 정말 고민이 아주 깊을 수밖에 없는 상황입니다.

황경선 저는 실무자 입장에서 굉장히 동감을 하는데 말씀대로 굉장히 리스크가 크죠. 관리자 입장에서는 이 유물을 좀 더 긴 시간 안전하게 보존하고 이어가야 하는데 활용에 목적을 두고 개방을 했을 때 더 이상 유물이 손상되지 않는다는 보장도 없고 여러 가지 보존 관리의 차원에서 굉장히 많은 고민을 하는 것 같아요. 유물 관리하는 직원들도 그렇고 보존 쪽에 있는 직원들도 마찬가지인데 어쨌든 개방을 하겠다고 목적을 두었을 때는 개방에서의 장점을 더 찾아서 나아가야 하지 않나라는 생각을 했습니다. 일례로 약 180여 점 정도의 소반이 굉장히 빼곡하게 전시되어 있는 소반 중심의 수장고가 하나 있는데, 직원들이 그곳에 방문하는 일정이 있었어요. 그간에는 수장고가 자유롭게 드나들 수 있는 공간이 아니었잖아요. 일반 직원들이 와서 전시되어 있는 소반들을 보고 '우리가 이렇게 좋고 예쁜 유물들이 있어?' 새삼 놀랍다는 의견들을 많이 주셨어요. 그리고 그 옆에 280점 정도의 떡살이 전시되어 있는데 '떡살의 문양이 이렇게 예쁜 거였어?' '오늘 또 소반 다리가 달라 보이네' 하면서

황경선

굉장히 만족스러워하셨는데 그 모습을 보고 이 마음이 그대로 관람객들에게도 전달되고 이곳을 찾은 많은 분들이 또 다른 영감을 얻는다든지 하나의 계기가 되는 역할을 할 수 있겠다는 가능성도 생각하게 되었고 그런 부분들에서 뿌듯함을 느꼈던 적도 있습니다. 그런 장점들을 계속 생각하고 더 부각될 수 있는 방법을 찾는 게 제가 해야 할 일이 아닐까 생각하고 있습니다.

김주원

저는 사실 미술관에서 오랫동안 일을 해 오면서 소장품에 관한 조사 연구가 얼마나 중요한지 갈증을 내면서 조급하게 고민했던 큐레이터입니다. 그런데 소장품으로 미술관에 들어온 예술 작품이 평생 그 미술관에서, 제가 근무하는 게 한 30년이 된다면 그 기간 동안 한 번도 못 나오는 경우도 있거든요. 박물관은 유물을 다루니까 그 유물마다의 가치들이 있겠습니다만 현대미술 분야의 경우에는 사실 작품의 질적인 부분을 따지지 않을 수가 없고 그 편차가 조금 심한 경우들도 있습니다. 심지어 국제박물관협의회 미술관 분과에서 늘 고민해서 얘기하는 것 중의 하나가 지금 각 미술관들이 갖고 있는 소장품들이 얼마나 오랫동안 보존 관리되고 연구의 대상이 되어야 할까 혹시 폐기 처분해야 하는 대상은 아닐까에 대한 것인데, 이 문제들이 심각하게 대두되고 있는 상황입니다. 수장고 포화 상태가 올 때마다 가치에 관해서 고민을 해왔던 작품들을 역시 이제는 폐기해야 하나 어떻게 해야 하나, 법령을 찾아봐야 하나 여러 가지 고민들을 할 수밖에 없는 상황에서 소장품의 비관적인 운명을 전시장으로 끌어냈다는 점, 관람객들과 만날 수 있게 했다는 점에서 아주 긍정적인 효과가 있다고 생각합니다.

그런데 8월 25일 국제박물관협의회에서 박물관, 미술관에 대한 정의를 새롭게 하면서 지속 가능함이라는 것을 추가했습니다. 지속 가능함이라는 것은 물론 엄청나게 넓은 함의를 하고 있습니다만 우리가 지금 계속 고민하고 있듯이 작품의 항구성을 과연 어떻게 유지할 수 있을 것인가, 우리 안에서의 지속 가능함, 인간 중심의 지속 가능함과 보다 넓은 차원에서 후대까지 넘겨줘야 하는 예술적 가치의 지속 가능함, 그 간극을 어떻게 좁힐 수 있을 것인가 하는 문제는 역시 여전히 고민거리인 것 같다는 생각이 듭니다.

개방 수장고 실무자 버스킹

김유진

초반에 말씀드렸던 것처럼 국내외 개방형 수장고가 굉장히 많이 생기는 추세입니다. 기하고 있는 국내 공간들도 많아졌고요. 해외 사례를 살펴보면 네덜란드의 보이만스 반 빅닝겐 미술관의 개방형 수장고 디포(Depot Boijmans van Beuningen)는 아예 건물 계획계부터 작품에 맞는 공간을 개별적으로 디자인해서 공간을 마련했는데요. 이런 해외 사들을 보면서 앞으로 국내에 생길 개방 수장고들이 어떤 점을 보완하면 좋을지, 그래도씩, 3년씩 앞선 기관으로서 얘기를 해 주시면 어떨까 싶습니다.

황경선

저는 건물부터 계획을 치밀하게 했다는 점이 굉장히 부럽다는 생각을 먼저 했던 것 같아마 청주도 어떤 점은 극히 느끼고 계실 것 같은데, 그런 측면에서 공주박물관은 거기좀 더 다가서지 않았나 하는 생각이 들어요. 건물을 지을 때부터 브릿지나 여러 가지 면소장품이 어떻게 보일지 철저하게 계산하셨던 게 아닐까라는 부러움이 있는데 저희는그렇게까지 하지는 못했어요. 국립민속박물관 파주관 건물의 뼈대가 있을 때부터 안어콘텐츠들이 채워지는 과정 전체를 다 지켜보면서 '이런 부분들을 미리 알았더라면' '이부분들이 공간설계에 반영되었더라면' '애초에 이런 유물을 격납할 거니까 그 유물의 †에 적합하게 공간 구조가 설계되었더라면' 하는 아쉬움들이 가장 컸던 것 같아요. 이미지어진 건물이기 때문에 그 공간에 최적하게 또 설계해서 운영 하고는 있습니다.

타 기관들에서 견학을 많이 오시는데 그때 저는 솔직하게 고백을 합니다. 저희가 놓친무엇이고 어떤 부분들은 아쉬움이 컸다 하는 부분들을 오히려 더 부각시켜서 말씀드…것 같아요. 놓치지 마시라고. 해외 사례든 국내 사례든 그것의 성공적인 부분들은 분명배워야 하겠지만 실패한 건 무엇일까 하고 한 번쯤 더 생각해야 하지 않을까 합니다.

황보창서

한번 꼭 가보고 싶은 곳 중에 하나이기도 해요. 보이만스 디포. 관련된 자료들이 홈페이지에 다 있어요. 설계도서부터 시작해서 모든 자료들이 대부분 다 확인 가능합니다. 그곳을 보면서 '정말 제대로 계획해서 제대로 만들었구나'라고 생각하게 된 부분이 하역장 시설입니다. 하역장은 우리나라 박물관 건축에서 가장 중요한데 가장 천대받는 공간이에요. 예산이 부족하면 하역장이 좁아지거나 날아가고, 시설이 빠지는 그런 곳인데, 보이만스 디포는 하역장 자체를 굉장히 부럽게 설비했더라고요.

조금 다른 얘긴데 제가 수장고 유물 관리, 소장품 관리, 수장고 안내를 하면서 소장품 관리를 하는 분들은 박물관 계의 국정원 요원이다라고 생각했습니다. 공교롭게 국립박물관은 수장고가 다 지하에 있어요. 밖으로 나갈 일이 거의 없는 상황이어서 우리는 음지에서 일하는 게 맞다고 생각했습니다. 그런데 이제는 개방형 수장고, 관람형 수장고가 만들어지고

충청권역수장고도 본연의 기능은 있지만 역시 관람객들에게 조금 더 접근성을 높여야 하는 상황이다 보니까 소장품 관리하는 사람들도 공간을 어떻게 개방하고 어떤 서비스를 어떻게 할 것인가라고 하는 다양한 고민들이 필요하지 않을까 그리고 지속적으로 그것을 해야 하지 않을까 생각합니다. 충청권역수장고의 경우도 국가귀속문화재가 있기 때문에 등록되어 있는 유물들의 어떤 상징성들을 갖고서 발굴조사 기관들과 뭔가 협업을 해나갈 수 있지 않을까 싶은데요. 예를 들면 제가 살짝 기획하고 있는 것 중 하나가 각 소속 박물관의 일련번호 1번들에 대한 것인데요. 일련번호 1번들은 약간의 대표성을 가지고 등록되어 있는 경우가 왕왕 있습니다. 그래서 충청권역수장고에서 그것들만 모아서 넘버원 아니면 넘버쓰리 이런 식으로 작지만 관람객들한테 소개할 수 있으면 어떨까 합니다. 넘버원인데 이 번호를 왜 붙이는지 그리고 이런 작업들은 어떤 과정을 통해서 이루어지는지, 유물에 대한 소개도 이루어지지만 그 유물이 들어오는 과정과 관리되고 활용되는 모습을 동시에 보여줄 수 있는 이런 기획도 이제는 박물관 계 국정원 요원들이 신경 써서 해야 하지 않나 싶습니다. 엔터테이너가 되어야 될 것 같아요. 서비스맨이자 엔터테이너가 되어서 영역이 확장되는 쪽으로 계속 가야 하지 않을까 좀 두려운 마음으로 고민해 봅니다.

김유진

좋은 말씀이신 것 같습니다.

김주원

저는 사실 우선은 보수적으로 우리가 쓰고 있는 용어나 개념에 대한 공유를 적극적으로 먼저 할 필요가 있다는 생각을 합니다. 그래서 아까 동선에 관한 문제도 말씀드렸지만 그런 것들이 고려되는 공간들이 점차적으로 더 많이 나왔으면 좋겠어요. 미술관과 개방형 수장고의 차이, 수장고와 미술관이 어떤 방식으로 함께 가는 것인지를 명확하게 알려주는 것이 오히려 조금 더 건강한 미술관 문화, 미술 문화를 만들 수 있는 길이 아닐까 하는 생각이 듭니다. 대전이 못한 것을 그 이후에 미술관들이 많이 해 줬으면 좋겠습니다.

김유진

계속 개방형 수장고가 생겨난다고 하니 어떤 틀이라든지 혹은 장단점들을 체계적으로 정리해 놓으면 후발 기관들에 도움이 되지 않을까 하고, 그런 자료들을 계속 만들어주시 좋지 않을까 생각합니다.

혹시 개방형 수장고를 운영하시면서 특별히 기억에 남았던 에피소드가 있거나 혹은 운 하면서 특별히 신경 쓰는 점이 있다면 말씀해 주세요.

김주원

아까도 말씀드렸지만 〈프랙탈 거북선〉(1993)이라는 작품이 대전시립미술관에서 365 전시되고 있었습니다. 물론 월요일에 하루씩 쉬었습니다만, 그때마다 하루에 두 시간씩 동을 했어요. 비디오를 틀어야 하는데 다 노후된 비디오들이고, 백남준 작품 자체가 그 로 기계, 테크놀로지에 의존하고 있기 때문에 단종된 부품들을 더 이상 살 수가 없어서 체해야 되는 문제가 백남준 작품이나 비디오 작품에 관한 전 세계적인 고민거리거든요 런 상황에서 개방형 수장고로 내려갔는데 수장고에 있는 작품도 여전히 하루에 두 시간 틀어야 한다는 요구들이 여전히 있습니다. 전시장과 동일한 조건 아래 그 작품이 살아 한다면 수장고 안에서 이것은 또 어떤 방식의 문제를 야기하거나 노출시킬 수 있는 것인 저희 미술관 내부에서 고민해 봐야 하는 문제여서 이 부분을 먼저 말씀드립니다.

황보창서

제가 운영하면서 겪었던 에피소드가 하나 있는데요. 충청권역수장고 앞으로 마당이 있 데 그곳에 어떤 분이 서성이고 계시는 거예요. 그래서 지나가다가 '아니 왜 안 들어가서 그랬더니 그분 대답이 '수장고인데 들어가도 되나요?'라고 말씀하시는 거예요. 수장고 대한 기본적인 지식이 있는 분인 거죠. 이 수장고는 관람형이니까 들어가셔서 자유롭 관람하셔도 된다고 말씀드렸어요. 제가 이야기하고 싶은 것은 여전히 수장고라는 게 다는 것입니다. 관람객분들이 수장고라는 것에 조금 더 가깝게 다가갈 수 있게 해야 한 고민들을 여전히 하고 있는 거잖아요. 그런데 아마 두 가지 같은 고민들을 하고 계실 예요. 관리의 측면과 이것을 적극적으로 활용하고 조금 더 서비스를 해야 한다는 측면 자연스럽지 못한 부분들이 너무 많다는 것입니다. 저 같은 경우에는 아까도 말씀드렸 처럼 자연재해가 발생했을 때를 대비한 모든 조치를 다 해 놓았음에도 불구하고 생길 있는 리스크, 이것을 어떻게 좀 더 안전하게 갈 것인가에 대한 고민이 있어요. 그리고 오신 분들이 유리에 많이 부딪치시는데 여러 조치들을 해 놓아도 관람을 하시는 분들 태도 문제와 거기에서 올 수 있는 리스크에 대한 것도 고민이 됩니다. 반면에 활용이 측면에서는 아까 말씀하셨던 것처럼 조각상을 옮길 수 없는 상황이고 계속 수장고 동일한 위치에 있게 되는데 관람객들도 처음에는 '와~' 하시는데 다시 와 보면 변화 없다는 거잖아요. 저희도 유물들을 격납 공간과 동일하게 운영함에도 불구하고 이것 바꿔야 하나 아니면 어떻게 해야 하나 고민이 됩니다. 내년부터는 조금 더 프로그램 위 서비스를 제공하려고 노력할 건데 내년에 오시면 로봇이 돌아다니면서 안내를 하고 더 새로운 모습이 있을 것입니다. 그래서 이런 고민들의 해결 방법은 같이 고민하는 제일 큰 해결 방법이고 가장 빨리 가는 길이 아닐까 하는 생각을 해보게 됩니다.

황경선

다들 비슷한 고민이실 것 같아요. 저희도 일단 이사는 왔고 물건은 풀어놨고 뒷정리는 끝났고 그럼 이제 어떻게 활용되도록 할 것인가 이것이 가장 큰 고민이고 앞으로의 사업 방향입니다. 그런데 말씀하신 대로 '위에 있는 높은 유물 안 보여' '여기 왜 옷은 없어? 한복 없어?' '갓 없어? 왜 없지?'라고 하시면서 보이지 않는 유물을 찾는 분들도 많이 계세요. 개방이라는 이름으로 많은 유물들을 오픈하고 있지만 그 밖에 또 보이지 않는 유물들은 어떤 방식으로 공개할 수 있을까라는 공간적인 문제나 환경, 여러 가지 문제들을 지속적으로 고민하고 있습니다. 그리고 친절하지 않은 설명들, 그 부분들을 어떻게 이해시켜 드릴 수 있을까라는 고민들도 계속 하고 있어요. 하나하나 유물의 개별 레이블을 두는 것이 쉽지 않기 때문에 결국 저희가 선택한 방법은 각각의 수장 공간에 키오스크를 설치하는 것이었습니다. 기존 같으면 키오스크에 명칭을 검색한다든지 하는 방식으로 접근했다면 저희는 시각적으로 수장고 환경과 동일하게, 유물이 배치되어 있는 모습을 그림으로 표현했어요. 그래서 그 그림을 직접 선택해서 정보를 얻고, 관리를 위해서 각각의 수장대 위에 올려져 있는 소장품 번호를 입력하거나 선반의 위치값을 표현해 주기 위해 노출한 선반 번호를 입력해서 들어가거나 하는 등 하나의 키오스크에서 세 가지 방향으로 정보에 다가갈 수 있도록 했습니다. 그럼에도 한 공간 안에 몇 백 점의 유물이 있으니까 그 유물들 옆에 설명이 있는 것이 가장 쉬운 방법인데 한 번 더 돌아가야 되잖아요. 그래서 그런 부분들을 아직 이해 못하시는 관람객들도 많습니다. 그런데 도리어 어떤 한 어르신의 일례인데 '아니, 키오스크까지 해 놓고 다 좋은데 말이야 왜 내 핸드폰에는 안 담기는 거야'라고 하시면서 이의를 제기하신 적이 있어요. 제 편견 속에서 어른들은 기기 관리 같은 일들이 조금 멀게 느껴질 것이라고 생각했는데 오히려 다른 문제였던 것이죠. 그분은 더 적극적으로 정보를 얻어 가고 싶어 했고 자기 방식의 활용을 하고 싶었는데 저희가 그걸 충족시켜드리지 못했던 거예요. 관람객분들이 오셔서 '유물 그냥 있네', '수장고네'라고 그냥 돌아가시기보다 단 하나의 유물이라도 마음속에 새기고 갔으면 하는 바람으로 그런 부분들이 잘 전달될 수 있는 방법을 찾는 게 고민이고, 같이 고민을 해주시면 또 방법을 찾을 수 있지 않을까 생각합니다.

김유진

개방 수장고의 장점이 한 점의 작품을, 유물을 계속해서 관심 있게 유심히 볼 수 있는 시간적 여유가 있다는 것 같아요. 저는 이것이 굉장히 좋은 장점이라고 생각합니다. 지금까지 얘기 나눠본 것처럼 저희가 여러 가지 갈등 상황 속에 있지만 그래도 관람객이 어떻게 받아들일 수 있는가에 가장 중점을 둬야 하는 문제인 것 같아요. 관람객이 어떻게 받아들일 수 있을지 그것을 중심으로 방향성을 가져가는 것이 가장 좋지 않을까라는 생각을 합니다. 그리고 제가 지난번 국립민속박물관 파주 1주년 기념 세미나에 갔을 때 개방과 공유를 좀 더 확장하려면 디지털 사업을 해야겠다는 생각을 했었거든요. 말씀하신 키오스크처럼 정보의 영역도 조금 더 확장시켜야 하지 않나 하는 고민을 저는 갖고 있습니다.

이제 마지막 질문인데요. 관람객들과 개방 수장고를 더 잘 공유하기 위한 발전전략이나 혹은 향후 계획하고 계시는 사업이 있으면 소개 부탁드립니다.

김주원

국립현대미술관의 개방형 수장고를 담당하는 사람 중의 한 분인 김유진 학예사가 적극적으로 네트워크에 관한 고민을 하고 있더라고요. 그래서 대전시립미술관 열린 수장고 개관 전부터 실질적으로 그 고민을 저에게 많이 얘기하셨는데, 저는 그게 가장 중요한 방법인 것 같습니다. 아직 몇 개 안 되는 기관이지만 어쨌든 공론화 시키고 테이블 위에 문제로 올려 놓지 않으면 사실은 관람객이든 누구든 어떤 문제로 어떻게 속앓이를 하고 있는지 알지 못하고, 내가 어디가 아픈지 어디가 즐거운지를 모르는 상황에서 니즈를 개발할 수가 없잖아요. 그래서 향후 발전 방향 등 여러 문제를 실제적으로 테이블 위에 올려 놓고 얘기하는 것이 중요할 것 같아요. 그런 차원에서 대전시립미술관도 역시 국립현대미술관이라든가 또 국립공주박물관, 국립민속박물관과의 협력 방안을 마련해서 포럼이든지 혹은 어떤 형식으로든 자주 이런 자리를 만들고 실제적으로 실천할 수 있는 방안들을 도출해 내면 좋겠다는 생각을 하고 있습니다.

황보창서

그래서 충청권역수장고에서도 개관 돌 기념으로 11월 29일에 워크숍을 진행하려고 합니다. 일단은 권역별 수장고와 관련된 내용들을 한번 정리하면서 개방형 수장고의 개념이나 방향성에 대해서 각 기관별로 여러 가지 고민과 노력을 했지만 사실은 한자리에 모여서 이 이야기하고 앞으로 어떻게 가자라는 방향성에 대해서는 제시를 한 적이 없는 것 같아요. 국립민속박물관에서 처음으로 그런 노력들을 해주셔서 상당히 귀한 자리가 되었었는데 설립 과정과 운영이라고 하는 부분의 전체적인 이야기를 하셨다고 하면 저희 같은 경우는 운영하면서 생긴 문제들을 앞으로 어떻게 해나갈 것인가에 대한 고민을 같이 한번 얘기하면 어떨까 합니다. 두 달 뒤인데요, 곧 자리를 함께 했으면 하는 바람이 있습니다. 그래서 그런 기회들이 사실상 같은 고민을 하고 있는 사람들이 많이 있다는 것을 알고, 그 고민들을 조금 더 발전시킬 수 있는 계기가 되지 않을까 싶습니다. 그래서 이런 기회들이 앞으로도 좀 많았으면 좋겠습니다.

황경선

저희도 계속해서 관람객 중심의 공간으로서 역할을 해야 하니까 관람객이 원하는 것이 무엇인지 계속해서 찾아내야 할 것 같고 그런 입장에서 디지털 사업이나 여러 가지 정보가 활용될 수 있는 사업들을 계속 이어갈 것 같습니다. 아까도 전시나 공간이 부족하다 보니까 정보를 전달드리는 데 한계를 많이 느낀다고 말씀드렸는데 수장고이지만 '이곳은 수장고니까 수장고를 느껴'라는 일방적인 선택이나 강요보다는 관람객이 원하는 입장에서 절충을 해야 한다는 생각이 들어요. 그래서 앞서 상반기에는 공간 안에서 수장형 전시를 진행했었고, 하반기에도 계획하고 있는 것이 있는데, 타워 형태의 여섯 개 수장고에서 《수장고 산책 유리정원》이라는 타이틀로 식물의 문양 형태들을 찾아보는 해설 중심의 전시를 기획하고 있습니다. 이미 소장품 해설은 시작했고요. 계획된 큐레이팅이 어떻게 보면 '이 유물 한 번 더 살펴보세요'라고 하는 행위지만 그러다 보면 또 스스로 새로운 영역을 찾는 기점이 되지 않을까 해서 작은 노력들을 하고 있습니다.

그리고 말씀하신 것처럼 네트워크 관련해서도 국립민속박물관 파주의 첫돌이 7월 23일이었는데 그때 돌잔치 행사도 바쁜데 워크숍까지 진행을 했었어요. 그동안 기관 견학 때 방문했던 분들에게 참여 의사가 있는지 여쭈었고 그때 찾아주신 기관들이 참여해 주셨는데 다들 목말라 계시더라고요. 이런 부분들을 같이 의논하고 얘기할 자리가 없다 보니까 공통적으로 말씀하시기를 '그날 정말 많은 얘기를 나눴고 작은 자리였지만 생각을 많이 교류할 수 있어서 굉장히 좋았다, 앞으로도 이런 자리를 만들어주시면 좋겠다'고 하셨어요. 국립현대미술관과 국립민속박물관이 미술관과 박물관이라는 조금 다른 형태의 구조를 가지고는 있지만 결국 목적하는 바는 같은 거니까요. 그래서 이런 부분들을 같이 공유하는 자리가 계속 이어졌으면 하는 바람을 마지막으로 말씀드리겠습니다.

김유진

어떻게 보면 미술관에서는 선두주자로 국립현대미술관이 개방 수장고를 시작했는데 상당히 고민되는 지점들이 많았어요. 전시와는 다르고 수장고와도 다르고. 그래서 혼자 끙끙 앓던 면이 없지 않아 있었는데 국립민속박물관과 충청권역수장고가 작년에 생기고 올해 만나 뵙고 네트워크를 가질 수 있어서 굉장히 의미 있는 시간이었던 것 같아요. 그래서 앞으로도 이 모임들이 지속적으로 이루어지면 어떨까 생각하고 있습니다. 오늘 참석해 주신 선생님들 조금 어려운 질문도, 곤란한 질문도 있었을 텐데 잘 답변해 주셔서 정말 감사드리고, 오랜 시간 함께해 주셔서 고맙습니다.

개방 수장고 실무자 버스킹

품들의 수집 경로와 구입 기준에 대해 궁금합니다.

문수 : 11회

국립현대미술관의 작품 수집은 「국립현대미술관 작품수집·관리 규정」 절차에 따라 작품 수집계획을 수립하여 진행됩니다. 규정에 따르면 소장 작품의 수집은 구입(경매 구입 포함), 수증, 관리전환 등의 방법에 의해 이루어집니다. 여기에서 수증은 개인 또는 단체가 작품의 소유권 및 저작권을 기증하면 미술관이 양도받는 것을 의미하고, 관리전환은 국가 혹은 공공기관 등으로부터 미술품의 관리 주체를 이관, 전환하는 것을 의미합니다. 수집 대상 작품은 관내 학예직 및 관외 전문가가 제안한 작품에 대해 작품가치평가위원회 및 작품가격평가위원회의 평가·자문을 거쳐 작품수집심의위원회에서 심의합니다. 관리전환의 경우 작품수집심의위원회에서 수집 여부를 결정합니다. 국립현대미술관은 미술사적으로 중요한 작품들을 수집하여 보존하고, 전시와 교육을 통해 관람객과 공유하고 있습니다.

국립현대미술관 작품 수집에 관한 좀 더 자세한 내용은
미술관 누리집(https://www.mmca.go.kr)에 링크된
『국립현대미술관 규정집』의 「국립현대미술관 작품수집·관리 규정」
pp.155-200을 통해 살펴볼 수 있습니다.
https://www.mmca.go.kr/about/organization.do
국립현대미술관-미술관 소개-조직 및 업무-국립현대미술관 규정집 다운로드

개방 수장고를 만들었고, 명칭을 개방 수장고라고 정했나요?

수 : 10회

국립현대미술관 청주의 공식명칭은 '미술품수장센터'로 미술관의 소장품을 보관할 공간이 부족하여 수장센터의 건립 계획이 시작되었습니다. 미술관의 작품 수집은 지속적으로 이루어지기 때문에 작품을 안전하게 보관할 수장고의 필요성은 계속해서 제기될 수밖에 없습니다. 건립을 시작하며 작품을 보관하는 창고로서 수장고를 관람객과 어떻게 공유할 수 있을지 고민하였고, 수장고를 개방하는 형태를 미술품수장센터에 적용하게 되었습니다.

개방형 수장고를 운영하는 해외 사례를 참고하면 'Open Storage'라는 단어를 주로 사용합니다. 국내에서는 이를 개방 수장고 혹은 열린 수장고로 풀어 사용하는 것을 볼 수 있습니다. 수장고와 전시 기능이 결합된 개방 수장고는 관람객이 직접 수장고 내로 들어가서 수장된 작품을 볼 수 있는 곳이므로 국립현대미술관에서는 '개방 수장고'라고 명칭을 정하게 되었습니다. 또한 직접 들어갈 수 있는 개방 수장고 외에 유리 너머로 수장고를 볼 수 있는 '보이는 수장고'까지 합쳐 개방형 수장고라 칭하고 있습니다.

좀 더 자세한 내용은 2021년 국립현대미술관에서 발행한 『어쩌다 개방 수장고? 그럼에도 조각!』 책자에 실린 원고 「미술품수장센터의 '개방 수장고' 성립과 전개」를 통해 살펴볼 수 있습니다.

박미화, 「미술품수장센터의 '개방 수장고' 성립과 전개」 『어쩌다 개방 수장고? 그럼에도 조각!』
국립현대미술관, 2021, pp. (A)40–(A)45.

작품들이 어떻게 운반되는지 궁금합니다.

질문수 : 6회

미술 작품은 아트 핸들러라는 전문 직종 종사자들에 의해 운반됩니다. 아트 핸들러는 작품의 재료와 재질 등 특성을 파악하여 작품을 안전하게 포장하고 운반합니다. 미술관 밖으로 작품을 이동할 경우에는 작품이 충격을 받지 않도록 작품 특성에 맞는 재료로 철저하게 포장하고 무진동 차량에 실어 운반합니다. 그리고 운반 전후로 작품의 상태를 자세히 살펴 변화나 손상이 없는지 확인합니다. 아트 핸들러는 작품을 안전하게 운반하고 전시 기간에 설치, 철수하는 핵심 역할을 하는 만큼 미술관의 중요한 협력자라고 할 수 있습니다. 자세한 내용은 본 책자 82-83쪽에 실린 아트 핸들러의 인터뷰를 통해 살펴볼 수 있습니다.

〈무제〉라는 제목을 가진 작품들이 많은데 그 이유는 무엇이고, 작가가 추후에 작품 제목을 변경하기도 하는지 궁금합니다.

질문수 : 6회

국립현대미술관에는 현재 〈무제〉라는 제목의 작품이 566점 소장되어 있고, 그중 8점의 작품이 개방 수장고에 수장 전시되어 있습니다. '무제'는 단어 그대로 작품의 제목이 없음을 의미하는데, 추상적인 현대미술을 접할 때 작품의 의미를 즉각적으로 떠올리게 하는 제목이 없다는 것은 작품을 어렵게 느껴지게 합니다. 하지만 〈무제〉라는 제목에서 직접 작품의 형태와 의미를 확장하여 생각해 볼 수도 있습니다. 선입견 없이 작품을 살펴보고 상상을 하는 것도 현대미술의 즐거움이 될 수 있기 때문입니다. 작가들은 보는 사람에게 주도권을 주기 위해 제목을 무제로 짓거나 특정한 의미를 부여하기 보다는 자유롭게 작품을 보고 느낄 수 있도록 작품을 〈무제〉로 지었다고 이야기 합니다.

작품이 공식적으로 전시를 통해 공개되거나 미술관에 수집된 이후에는 제목을 변경하지는 않습니다. 생존 작가가 없는 상태에서 수집된 작품은 정보를 수집하고 기술하는 과정에서 일부 수정되는 부분이 발생하기도 합니다. 하지만 대부분의 작품은 발표된 이후 작가가 제목을 변경하는 일은 거의 없습니다.

2015년 국립현대미술관 과천에서는 〈무제〉라는 제목을 가진 작품만을 선별하여 기획전을 개최하기도 했습니다. 당시 전시에서는 작가들에게 직접 제목 '무제'의 의미를 물어보는 영상을 제작하여 소개했습니다.

작품 '무제'와 관련한 다양한 내용은 2015년 국립현대미술관에서 발행한 《무제》(2015.5.5.~7.26.) 전시 도록에서 살펴볼 수 있습니다.

상 수장고 작품들에 대한 공개 기준이 궁금합니다.

횟수 : 5회

2018년 12월 개관 당시 비교적 환경의 영향을 적게 받는 국립현대미술관 조각, 공예 소장품 중 대표적인 작품을 엄선하여 공개하였습니다. 개방 수장고는 일반 관람객의 입장이 가능한 공간이기 때문에 재료와 크기만을 고려하여 작품을 설치할 수 없습니다. 또한 관람객의 이동 동선도 고려해야 하기 때문에 본래 300여 점 이상 작품을 대량 설치하려고 계획하였으나, 작품의 유사성과 미술사적 흐름을 고려하여 절반가량으로 숫자를 줄였습니다.

2020년 11월 개방 수장고를 개편하며 기존에 공개되어 있던 소장품들을 연대별, 재료별로 분류하여 재배치하였습니다. 공예 소장품을 별도의 수장고로 옮기고 한국 현대조각의 흐름을 살펴볼 수 있는 조각 작품들을 추가하여 공개했습니다. 현재 개방 수장고에는 국립현대미술관 조각 소장품 중 160여 점이 수장 전시되어 있습니다. 이 작품들을 통해 조각 작품의 흐름과 변화를 시각적으로 느껴볼 수 있습니다.

**객이 실수로 작품을 파손시키면
은 어떻게 해야 하나요?**

횟수 : 5회

작품이 관람객에 의해 파손된 경우에는 현장을 바로 통제하고 파손자에게 경위서를 받게 됩니다. 이후 작가가 생존해 있을 경우 해당 작품의 작가에게 사실을 알리고 관련 부서와 함께 보존 처리의 방식을 결정합니다. 작품 측면에서는 작품의 희귀성이나 재질, 재제작 혹은 보존처리의 어려움 정도를 판단하고, 파손자에 대해서는 고의성 여부, 어린 나이(미취학아동) 등을 고려하여 판단합니다.

대부분의 경우 작품은 보험 가입이 되어 있기 때문에 작품 파손에 따른 손해와 복구 비용을 산정하여 청구하게 됩니다. 이때 보험사에서는 절차를 밟아 파손자에게 배상금 청구를 진행하기도 합니다.

작품은 한번 손상되면 돌이킬 수 없는 흔적이 남을 수밖에 없습니다. 오랫동안 보존하여 후대에도 작품의 가치가 이어질 수 있도록 작품을 소중하고 안전하게 다루어야 합니다.

**재료별로 다른 보존 환경이 필요할 것 같은데
ㅣ 관리되고 있는지 궁금합니다.**

: 5회

국립현대미술관은 수집된 작품을 회화 I, 회화 II, 드로잉, 판화, 조각·설치, 사진, 뉴미디어, 공예, 디자인, 건축, 서예 11개 부문으로 분류하고 있습니다. 작품의 재료와 특징에 따라 다른 보존 환경이 필요하기 때문에 각 부문별로 수장고를 나누어 관리하고 있습니다. 작품의 보존처리 또한 매체별로 나누어 전문적인 진단과 보존, 복원 과정을 거칩니다. 현재 개방 수장고에는 환경 변화에 비교적 강한 매체인 조각 작품이 수장 전시되어 있습니다.

개방 수장고의 작품이 바뀌는 시기를 알고 싶습니다.

질문수 : 4회 　　국립현대미술관 개방 수장고는 수장고를 개방한 형태로 운영하는 공간입니다. 수장고는 소장품의 집과도 같은 곳으로, 전시나 보존처리를 위해 잠시 이동하거나 반출되어도 다 돌아오는 곳입니다. 따라서 일반적인 기획 전시처럼 작품이 바뀌거나 공간의 변화가 자주 일어나는 곳은 아닙니다. 다만, 관람 환경의 편의를 제공하거나 다양한 작품, 공간을 체험 할 수 있도록 혹은 특수한 목적을 위해 작품의 위치나 공간이 일부 변경될 수 있습니다. 하지만 명확하게 주기를 가지고 작품이 바뀌거나 공간이 변형되는 곳은 아닙니다.

국립현대미술관 개방 수장고는 2018년 12월 개관 이후 2020년 11월 처음으로 수장 고를 개편하였습니다. 새로운 각도로 공간과 작품을 볼 수 있도록 조각이라는 매체가 가진 물성을 강조하여 수장고 속 조각 작품들을 연대별, 재료별로 재분류, 재배치하였습니다.

미술관에서 소장하고 있는 작품 중
가장 오래된 작품이 무엇인지 궁금합니다.

질문수 : 3회 　　국립현대미술관 소장품 중 연도미상인 작품을 제외하고, 제작연도가 1900년대 초반 김은호의 〈화조영모도〉가 가장 오래된 작품입니다.

미술관에서 가장 먼저 수집하여 가장 오래 보관하고 있는 작품은 기증을 통해 수집한 한기석(1930-2011)의 〈작가사진〉(1960년대)으로, 관리번호 PH-00001로 등록되어 있습니다.

현재 소장하고 있는 작품들 중에
가장 최근 제작연도의 작품은 무엇인가요?

질문수 : 3회 　　2022년 12월 국립현대미술관 누리집 노출 기준으로, 제작연도가 가장 최근인 소장 작품은 2021년 제작된 총 8점 작품입니다.

1. **[관리번호 AR-10813]**　**바래(전진홍, 최윤희), 〈에어 빈〉, 2021,** 폴리우레탄, FRP, 전구, 가변크기

2. **[관리번호 CR-10796]**　**현광훈, 〈하트비트 III〉, 2021,** 황동에 금도금, 호두나무, 13.5×14×6cm

3. **[관리번호 CR-10800]**　**이헌정, 〈집적1〉, 2021,** 도자기에 유약, 페인트, 167×58×52cm

4. **[관리번호 CR-10793]**　**신혜림, 〈시간의 비가 내린다_면〉, 2021,** 실, 스테인리스스틸, 알루미늄, 미송, 호두나무, 30×30×4×(10)cm

5. **[관리번호 CR-10792]** 신혜림, 〈시간의 비가 내린다_선〉, 2021,
가죽, 타이벡, 스테인리스스틸, 순은, 가변크기
6. **[관리번호 NM-10790]** 정재경, 〈어느 기록소〉, 2021,
단채널 비디오, 흑백, 사운드, 10분 54초
7. **[관리번호 NM-10780]** 안정주, 전소정, 〈기계 속의 유령〉, 2021,
단채널 비디오, 컬러, 사운드, 20분 10초
8. **[관리번호 SC-10761]** 이수경, 〈달빛 왕관_신라 금관 그림자〉, 2021,
유리 부표, 황동, 철, 24K 금박, 나무, 레진, 진주, 유리, 자개,
131.7×65×66.4cm

술관에서 개방 수장고가 없다면 어떻게 되는지 궁금합니다.

론수 : 2회   미술관에 개방 수장고가 없다면 현재 공개되고 있는 소장품들은 관람객들이 볼 수 없는 폐쇄형 수장고에서 관리하게 되며, 기획 전시 혹은 외부 대여 전시를 통해 공개됩니다. 개방 수장고는 전시에 출품되지 않는다면 볼 수 없었던 다양한 작품들을 상시적으로 볼 수 있는 특별한 공간입니다.

상 수장고의 작품 설명을 들을 수 있는 프로그램이 있나요?

론수 : 1회   개방 수장고 내 비치된 모니터를 통해 한국 현대조각의 연대별 특징과 대표 작품에 대한 학예사 설명 영상을 볼 수 있습니다. 그리고 해당 영상은 온라인(유튜브, 네이버TV)을 통해서도 공개하고 있습니다.

〈개방 수장고 : 1950-70년대 한국 현대조각의 특징과 주요 작품〉
〈개방 수장고 : 1980년대 한국 현대조각의 특징과 주요 작품〉
〈개방 수장고 : 1990년대 이후 한국 현대조각의 특징과 주요 작품〉

또한 〈팝업 수장고〉 프로그램의 일환으로 제작된 '작품' 영상을 유튜브를 통해 만나볼 수 있습니다. 본 책자 44-51쪽에서 작품에 대한 자세한 설명과 QR 코드 링크를 찾아볼 수 있습니다.

나무, 금속 등 개방 수장고 아이콘을 만드신
가 있을까요?

수 : 1회   2020년 개방 수장고 개편 시 청주 청년 디자인 콘텐츠 그룹 V.A.T와 함께 수장고 내·외부 그래픽과 각종 안내 자료를 디자인하였습니다. V.A.T는 '관계자 외(에도) 출입 가능'이라는 큰 틀 안에서 각종 안내 자료와 이모티콘을 유쾌하게 표현하였습니다. 개방 수장고가 좀 더 쉽고 친근한 곳으로 느껴질 수 있도록 조각의 재료를 상징하는 돌, 나무, 금속, 기타 등의 아이콘을 디자이너의 시각으로 생동감 있게 표현하였고, 개방 수장고 곳곳에서 아이콘을 발견하며 작품과 재료의 관계를 발견하고 학습할 수 있도록 했습니다.

〈팝업 수장고〉 관람객 질문과 답변

작품 제목 옆에 표시된 숫자는 무엇을 의미하나요?

질문수 : 1회

개방 수장고에 놓여 있는 작품 명제표 속 숫자는 작품의 관리번호입니다. 소장품은 미
관에 입고된 이후 관객에게 공개되기까지 여러 과정을 거칩니다. 특히 안전하고 효과적
작품 관리를 위해 규정된 분류체계에 따라 작품을 분류하고 관리번호를 부여합니다.
현재 국립현대미술관은 회화Ⅰ(KO), 회화Ⅱ(PA), 드로잉(DR), 판화(PR), 조각·설치(SC),
사진(PH), 뉴미디어(NM), 공예(CR), 디자인(DE), 건축(AR), 서예(CA)로 부문을 나누고
있으며, 여기에 수집된 순서에 따른 연번을 매겨 관리번호를 부여하고 있습니다.

개방 수장고에는 어떤 재료의 작품들이 있나요?

질문수 : 1회

개방 수장고의 조각 작품들은 매우 다양한 재료로 제작되어 있습니다. 연대별로 분류
조각 작품들을 살펴보면 사용된 재료가 다양하게 변화되어 가는 것을 눈으로 확인할
있습니다. 전통적인 조각 작품들이 돌이나 나무, 청동으로 제작되었다면 현재는 플라스
기성품, 오브제 등 재료에 한계가 없이 확장되고 있습니다. 또한 조각 작품에 페인트
용되면서 색상 또한 화려해지고 있습니다.

좀 더 자세한 내용은 2021년 발행된 『어쩌다 개방 수장고? 그럼에도 조각!』 책자에 실
원고 「다양한 재료의 조각과 그 보존 방법」과 본 책자 52-65쪽을 통해 살펴볼 수 있습니
권희홍, 「다양한 재료의 조각과 그 보존 방법」 『어쩌다 개방 수장고? 그럼에도 조각!』
국립현대미술관, 2021, pp. (B)35-(B)48.

작품 재료 설명 부분에 다양한 재료 설명을 간단하게 '혼합재료'
로만 표시하는 이유가 무엇인가요?

질문수 : 1회

현대미술은 매우 다양한 재료로 제작됩니다. 작품의 일반적인 재료로 여겨지지 않았
모든 것들이 작품 제작에 사용될 수 있습니다. 여러 재료가 혼합되어 하나의 작품을
고 있기 때문에 '혼합재료'라고 표현하기도 합니다. 작품 수집 시 작가가 표기한 작품
재료를 그대로 사용하기도 하는데, 작가 스스로 작품의 재료를 구체적으로 밝히지 않
때도 있습니다. 하지만 작품이 손상되었을 경우 보존처리를 위해 작품에 사용된 재료
사전에 기록해두거나 작가 인터뷰를 통해 재료를 확인하기도 합니다. 작가가 생존해
않은 경우 작품 재료 성분을 분석하기도 합니다.

장고는 무엇으로 만들어졌나요?

로수 : 1회

수장고는 작품을 안전하게 보관하기 위한 공간이기 때문에 단순히 사각형의 공간으로 이루어진 곳이 아닙니다. 수장고는 보안 구역이기 때문에 일반 건축물에 비해 콘크리트 구조체의 두께가 굉장히 두껍습니다. 또한 온습도를 일정하게 유지하기 위해 콘크리트 구조 안에 또 다른 구조체가 있는 이중 구조로 설계됩니다. 사각형 안에 또 다른 사각형의 구조가 들어있는 형태를 연상할 수 있습니다. 온습도 유지를 위해 조습 패널과 나무 바닥 등을 시공하고, 작품의 안전과 화재 방지를 위해 특수 설계된 철재 도어 등 여러 가지 기술이 복합적으로 사용된 공간이 수장고입니다.

좀 더 자세한 내용은 본 책자 22-25쪽과 온라인(유튜브, 네이버TV)의 「개방 수장고 관람객 참여 공간 〈팝업 수장고〉 "수장고"」 편을 통해 살펴볼 수 있습니다.

관의 소장품은 모두 몇 점인가요?

수 : 1회

국립현대미술관은 작품을 수집한 이후 정보를 확인하고 기술하여 누리집에 공개하고 있습니다. 이 과정을 모두 거쳐 국립현대미술관 누리집에 등록 완료된 소장품은 2022년 12월 기준 9,420점입니다.

▌개방 수장고에 없는 작품들은 어디서 어떻게 되고 있는지 궁금합니다.

수 : 1회

개방 수장고에 공개되어 있지 않은 소장품들은 대부분 일반 수장고에 보관되어 있습니다. 수장고는 작품을 안전하게 보관하고 보존하는 곳이기 때문에 일반적으로 폐쇄형으로 운영됩니다. 현재 청주 미술품수장센터에 10개의 수장고가 있는데 개방형 수장고로 운영되는 5개 수장고를 제외하고 폐쇄형으로 운영하고 있습니다.

수장고는 전국에 몇 군데가 있나요?

수 : 1회

미술관을 기준으로 본다면 개방 수장고는 국립현대미술관 청주 미술품수장센터와 2022년 10월 개관한 대전시립미술관의 열린 수장고 2곳이 있습니다. 이외에도 2021년 7월 국립민속박물관 파주에 개방형 수장고가 개관하였고, 국립박물관에서도 호남권, 영남권, 충청권 등 권역별 수장고를 개방형으로 운영하고 있습니다.

좀 더 자세한 내용은 본 책자 98-123쪽 '개방형 수장고 실무자 버스킹'을 통해 살펴볼 수 있습니다.

〈팝업 수장고〉

발행인 윤범모
편집인 송수정
제작 총괄 박미화

기획·편집 김유진
편집보조 김서연

사진 우종덕
디자인 위아낫컴퍼니
인쇄 현프린팅

초판 발행 2022년 12월 27일

발행처
국립현대미술관
28501 충청북도 청주시 청원구
상당로 314
043-261-1400
www.mmca.go.kr

©2022 국립현대미술관
ISBN 978-89-6303-348-8
값 15,000원